LES MEILLEURES RECETTES

Cuisine indienne

Shehzad Husain

Réalisation : InTexte Édition
Traduction de l'anglais : Christine Bollard
avec la collaboration de Nicolas Blot

ISBN : 0-75259-991-7

Imprimé en Chine

Note

Une cuillère à soupe correspond à 15 à 20 g d'ingrédients secs
et à 15 ml d'ingrédients liquides. Une cuillère à café correspond à 3 à 5 g d'ingrédients secs
et à 5 ml d'ingrédients liquides. Sans autre précision, le lait est entier, les œufs sont
de taille moyenne et le poivre est du poivre noir fraîchement moulu.

La cuisine traditionnelle indienne utilise des quantités
importantes d'huile. Les quantités indiquées dans certaines
recettes peuvent être réduites en cas de régime particulier.

Sommaire

Introduction

Le sous-continent indien et le Pakistan couvrent une surface de quelque 4 millions de kilomètres carrés, habitée par des populations de cultures et de religions différentes : hindous et musulmans (ces deux importants groupes comprenant des sectes plus petites), ainsi que parsis et chrétiens. Cette mosaïque a marqué de multiples influences les habitudes alimentaires des diverses communautés ethniques du sous-continent. À titre d'exemple, l'alimentation du Nord diffère totalement de celle du Sud. Dans le Nord, région céréalière, chapatis et paratas font partie des denrées de base ; les Indiens du Sud, cultivant le riz, en ont fait leur nourriture quotidienne.

La viande est consommée par la population musulmane, qui refuse cependant tout aliment issu du porc, considéré comme impur. Les hindous, en grande majorité végétariens, s'interdisent de manger de la viande bovine, la vache étant considérée comme un animal sacré.

L'Asie utilise les herbes et les épices depuis des millénaires ; l'Inde fut longtemps un grand pourvoyeur d'épices pour les nations occidentales. Cela ne fait pourtant que quelques décennies que les Occidentaux s'intéressent à notre gastronomie. Bien sûr, les communications aériennes permettent désormais aux visiteurs de goûter sur place une cuisine authentique mais cet engouement s'explique sans doute par la prolifération de restaurants indiens que connaissent les villes du monde entier. Les communautés indiennes n'y ont pas seulement préservé leur propre culture et leurs habitudes alimentaires : en instaurant des circuits commerciaux pour les ingrédients exotiques, elles ont permis l'existence d'une véritable cuisine qu'il n'aurait guère été possible de préparer il y a à peine une dizaine d'années.

Les mets indiens sont d'une merveilleuse simplicité : il est rarement nécessaire de faire des ajouts de dernière minute, si ce n'est une dernière et rapide touche décorative ; la plupart des plats peuvent être préparés à l'avance et se congèlent très bien. Si un délai de quelques jours profite à certains mets qui en deviennent plus savoureux, les autres se conservent une journée au réfrigérateur, et peuvent être réchauffés. De plus, il est de coutume de servir tous les plats en même temps, à l'exception des desserts ; ainsi l'hôte reste en compagnie des autres convives, sans avoir à se déplacer à tout instant.

Parlons maintenant des épices. Faut-il d'abord se ruiner en produits exotiques avant de se lancer ? Comment juger la tolérance de vos convives à l'ardeur du piment ? La plupart de ces recettes préconisent diverses épices, mais chaque plat n'en contient pas une grande variété. Cependant, si vous appréciez la cuisine indienne et êtes prêt à en suivre les règles, il serait sage de vous munir d'une palette d'épices de base (voir page ci-contre) qui vous permettra de réaliser une bonne partie des recettes. Il sera toujours temps, par la suite, d'élargir votre choix en fonction de vos besoins. L'ardeur d'un mets dépend de la quantité de piment : frais, séché ou en poudre (piment de Cayenne), il corse les currys ou parsème un plat pour l'agrémenter. Mieux vaut sous-évaluer la quantité de piment nécessaire que l'inverse, tant que vous ne serez pas un amateur averti ; sachez également qu'en épépinant un piment vous lui ôtez un peu de son mordant. Surtout, ne commettez pas l'erreur d'imaginer qu'un authentique curry indien se doit d'être très pimenté : notre table propose toujours une variété de mets, ardemment ou modérément épicés. Soyez toujours aussi prévenant pour vos convives : n'abîmez pas leurs papilles et vos currys aux saveurs délicates par un excès de piment.

Ustensiles

Vous possédez sans doute déjà tout le matériel requis pour la confection d'un repas indien : quelques casseroles de bonne facture, une poêle ou une sauteuse à fond épais, des cuillères en bois dont une spatule perforée qui servira à mélanger le riz, une balance, et au moins un bon couteau de cuisine.

Le broyage des épices s'effectue avec un mortier et un pilon, au rouleau ou dans un moulin électrique. La plupart des foyers indiens sont équipés d'une lourde pierre plate et d'un rouleau que l'on appelle *mussal*, qui sont encore préférables à tout autre instrument.

Dans votre placard

Votre stock de départ : gingembre frais, ail, piment en poudre, curcuma, cardamome, poivre noir, coriandre et cumin moulus. L'ail et le gingembre se conservent de 7 à 10 jours au réfrigérateur ; les épices en poudre se gardent très longtemps dans une boîte hermétique. Les autres ingrédients seront à acquérir au fur et à mesure de vos progrès. Ils se composent de graines de cumin noir et blanc, de nigelle, de graines de moutarde, de fenugrec, de clous de girofle, de cannelle, de piments rouges séchés, de ghee végétal et de garam masala (mélange d'épices tout prêt ou confectionné par vous-même, en quantité suffisante pour que vous en ayez toujours sous la main).

Emploi des épices

Les épices s'utilisent entières, moulues, grillées, frites, ou incorporées à du yaourt pour les marinades. Si une seule épice suffit à modifier la saveur d'un mets, le mélange de plusieurs épices peut aboutir à diverses couleurs et textures. Les quantités sont seulement indiquées pour vous guider : augmentez ou réduisez les doses à votre convenance, particulièrement pour le sel et le piment, dont la consommation varie selon les goûts de chacun.

De nombreuses recettes préconisent l'emploi d'épices moulues, que l'on trouve dans les supermarchés et les épiceries exotiques. Les épices fraîchement moulues exhalent cependant un arôme incomparable, c'est pourquoi en Inde nous les préparons nous-mêmes.

D'autres préparations nécessitent l'ajout d'épices grillées. Procédez à cette opération dans une lourde poêle en fonte, à défaut de posséder un thawa indien. Nul besoin d'huile, ni d'eau : les épices se grillent à sec et ne brûleront pas si vous secouez la poêle pendant la cuisson.

N'oubliez pas qu'un long mijotage à feu doux permet aux mets de s'imprégner de la saveur des épices ; vous pouvez donc sans problème réchauffer un curry préparé la veille : il n'en sera que meilleur.

Viandes & poissons

Ce chapitre propose un vaste choix de recettes,
dont la plupart sont à base d'agneau. Je suggère
toujours de cuisiner le gigot, beaucoup moins gras
que l'épaule ; vous pouvez toutefois les utiliser
à parts égales. Si vous préférez remplacer l'agneau
par du bœuf (morceau à braiser, par exemple),
laissez-le cuire un peu plus longtemps.

En Inde, le poulet est une denrée onéreuse,
réservée aux grandes occasions. Il est toujours
cuisiné sans la peau et découpé en petits morceaux.
Un poulet d'environ 1,5 kg sera découpé en huit,
à moins que vous ne prépariez un tandoori ;
dans ce cas, des quarts de poulet seront
plus présentables. Demandez à votre boucher
de le préparer à votre convenance.

On consomme peu de poisson en Inde,
excepté dans certaines régions comme
le Bengale et les environs de Karachi,
où le régime quotidien des habitants est
à base de riz et de poisson.

Agneau sauce épicée

6 à 8 personnes

INGRÉDIENTS

175 ml d'huile

1 kg de gigot d'agneau
  dégraissé, coupé en cubes

1 cuil. à soupe de garam masala

5 oignons moyens, hachés

150 ml de yaourt

2 cuil. à soupe de concentré
  de tomates

2 cuil. à café de gingembre
  frais haché fin

2 cuil. à café d'ail pressé

1 cuil. à café de sel
poudre de piment

1 cuil. à soupe de coriandre
  moulue

2 cuil. à café de muscade râpée

1 litre d'eau

1 cuil. à soupe de graines
  de fenouil moulues

1 cuil. à soupe de paprika

1 cuil. à soupe de bhoonay
  chanay (farine de lentilles)
  ou de farine de pois chiches

3 feuilles de laurier

1 cuil. à soupe de farine

pains naans ou paratas

GARNITURE

2 ou 3 piments verts hachés

feuilles ciselées de coriandre

1 Chauffer l'huile dans une sauteuse, y déposer la viande et la moitié du garam masala. Faire revenir 7 à 10 minutes en remuant, pour bien imprégner la viande d'épices. Retirer la viande et réserver.

2 Faire dorer les oignons dans la sauteuse et remettre la viande ; réduire le feu et laisser mijoter en remuant régulièrement.

3 Dans une jatte, mélanger le yaourt avec le concentré de tomates, l'ail, le gingembre, le sel, 2 cuil. à café de poudre de piment, la coriandre, la noix muscade et le reste de garam masala. Verser dans la sauteuse et faire revenir en remuant 5 à 7 minutes afin de bien mêler viande et épices.

4 Ajouter la moitié de l'eau, le fenouil, le paprika et le bhoonay chanay, puis le reste de l'eau et le laurier ; délayer la farine dans 2 cuillerées à soupe d'eau tiède et verser sur le curry. Poursuivre la cuisson afin que la viande soit tendre et la sauce assez épaisse. Garnir avec les piments verts et les feuilles de coriandre. Présenter avec des naans (*voir* page 178) ou des paratas (*voir* page 174).

Agneau khorma

2 à 4 personnes

INGRÉDIENTS

1 cuil. à café de garam masala
1 cuil. à café de gingembre frais haché fin
1 cuil. à café d'ail pressé
2 capsules de cardamome noire
1 cuil. à café de poudre de piment
1 cuil. à café de sel

1/2 cuil. à café de graines de cumin noir
2 bâtonnets de cannelle de 2 à 3 cm
1 yaourt nature
500 g de viande d'agneau dégraissée
150 ml d'huile
2 oignons, émincés

600 ml d'eau
2 tomates fermes, coupées en quartiers
2 cuil. à soupe de jus de citron

GARNITURE
feuilles ciselées de coriandre fraîche
2 piments verts, hachés

1 Dans une terrine, mélanger avec soin le garam masala, le gingembre, l'ail, la cardamome, le sel, la poudre de piment, le cumin, la cannelle et le yaourt.

2 Ajouter la viande en remuant bien afin de l'enrober d'épices. Réserver.

3 Dans une cocotte, chauffer l'huile et y faire dorer les oignons.

4 Incorporer la viande et faire revenir 5 minutes environ à feu vif. Réduire le feu, ajouter l'eau et couvrir ; laisser mijoter 1 heure, en remuant de temps en temps.

5 Ajouter les tomates et mouiller avec le jus de citron. Poursuivre la cuisson 7 à 10 minutes.

6 Parsemer de coriandre fraîche et de piment vert. Servir très chaud.

CONSEIL

Riches et épicés, cuits lentement à l'étouffée, les khormas sont pour la plupart des mets de tradition persane, d'inspiration moghole, préparés pour les grandes occasions. Dans un khorma digne de ce nom, la viande moelleuse absorbe le jus de cuisson, s'imprégnant ainsi de ses succulentes saveurs.

Agneau à la poudre de mangue

4 personnes

INGRÉDIENTS

4 oignons moyens	1 cuil. à café de poudre	500 g de gigot d'agneau, en dés
300 ml d'huile	de piment	600 ml d'eau
1 cuil. à café de gingembre	1 pincée de curcuma	1 cuil. à café 1/2 de aamchor
frais haché fin	1 cuil. à café de sel	(poudre de mangue séchée)
1 cuil. à café d'ail pressé	3 piments verts, émincés	feuilles de coriandre fraîche

1 Faire un hachis fin avec trois des quatre oignons.

2 Chauffer la moitié de l'huile dans une poêle et y faire rissoler les oignons. Réduire le feu puis incorporer le gingembre, l'ail, la poudre de piment, le curcuma et le sel. Laisser cuire en remuant, 5 minutes environ, avant d'ajouter deux des piments verts.

3 Déposer les dés de viande dans la poêle et faire revenir 7 minutes.

4 Mouiller avec l'eau, couvrir et laisser mijoter à feu doux 35 à 45 minutes, en remuant de temps en temps.

5 Pendant ce temps, émincer le quatrième oignon, puis le faire dorer dans le reste de l'huile. Réserver.

6 Lorsque la viande est moelleuse, incorporer l'aamchor, le reste de piment vert et les feuilles de coriandre. Faire cuire 3 à 5 minutes à feu vif, sans cesser de remuer.

7 Transférer le curry dans un plat de service ; y déposer les rondelles d'oignon frit non égouttées. Servir chaud, accompagné de riz.

Agneau à l'étouffée

6 personnes

INGRÉDIENTS

2,5 kg de gigot d'agneau
2 cuil. à café de gingembre
  frais haché fin
2 cuil. à café d'ail pressé
2 cuil. à café de garam masala
1 cuil. à café de sel

2 cuil. à café de graines
  de cumin noir
4 grains de poivre
3 clous de girofle
1 cuil. à café de poudre
  de piment

3 cuil. à soupe de jus de citron
300 ml d'huile
1 gros oignon pelé
environ 2 litres d'eau

1 Dégraisser le gigot et le percer de part en part avec une fourchette.

2 Dans une terrine, mélanger avec soin le gingembre, l'ail, le cumin, le poivre, les clous de girofle et le piment. Ajouter le jus de citron. Enrober le gigot de cette préparation en le frictionnant pour bien répartir. Réserver.

3 Chauffer l'huile dans une grande cocotte.

Y déposer le gigot et l'oignon.

4 Verser assez d'eau pour couvrir la viande et laisser cuire 2 heures 1/2 à 3 heures à feu doux, en retournant le gigot de temps à autre. (Si l'eau s'est évaporée avant que la viande ne soit tendre, en rajouter une petite quantité.) Après totale évaporation, retourner le gigot pour le faire brunir de tous les côtés.

5 Transférer le gigot sur le plat de service. Le présenter en tranches ou entier si l'on souhaite le découper devant les convives. Servir chaud ou froid.

CONSEIL

En Inde, la cuisson à l'étouffée se fait dans un deghi, récipient que l'on installe dans la cendre chaude.

Koftas à l'agneau

4 personnes

INGRÉDIENTS

5 cuil. à soupe d'huile
2 oignons, émincés
500 g d'agneau haché
2 cuil. à soupe de yaourt
1 cuil. à café de poudre
de piment
1 cuil. à café d'ail pressé

1 cuil. à café de gingembre
frais haché fin
1 cuil. à café de sel
1 cuil. à café 1/2 de garam
masala
1/2 cuil. à café de poivre
de la Jamaïque moulu

2 piments verts frais
feuilles de coriandre fraîche
feuilles de salade

GARNITURE
feuilles ciselées de coriandre
quartiers de citron

1 Chauffer l'huile dans une sauteuse et y faire dorer les oignons.

2 Déposer la viande dans une jatte. Ajouter le yaourt, la poudre de piment, l'ail, le gingembre, le sel, le garam masala et le poivre, en mélangeant bien.

3 Mettre la viande épicée dans la sauteuse et faire revenir en remuant pendant 10 à 15 minutes. Retirer du feu et réserver.

4 Pendant ce temps, hacher au mixeur les piments verts et la moitié de la coriandre, ou les émincer finement . Réserver.

5 Passer la viande accommodée au mixeur, ou l'écraser dans un grand saladier. Ajouter ensuite le hachis de piments verts et de coriandre.

6 Transférer la préparation dans

un plat à gratin. Préchauffer le gril à température moyenne puis enfourner pour 10 à 15 minutes, en remuant de temps en temps. Bien surveiller la cuisson afin d'éviter que la viande ne brûle.

7 Décorer de feuilles de coriandre et de quartiers de citron. Servir avec quelques feuilles de salade.

Agneau haché aux petits pois

4 personnes

INGRÉDIENTS

6 cuil. à soupe d'huile
1 oignon moyen, émincé
3 piments verts
feuilles de coriandre fraîche
2 tomates concassées

1 cuil. à café de sel
1 cuil. à café de gingembre
   frais haché très fin
1 cuil. à café de poudre de
   piment

1 cuil. à café d'ail pressé
500 g de viande d'agneau,
   dégraissée et hachée
100 g de petits pois

1 Chauffer l'huile dans une sauteuse. Y faire rissoler les oignons en remuant sans cesse.

2 Ajouter deux des piments verts, la moitié de la coriandre puis les tomates ; laisser cuire à tout petit feu.

3 Incorporer le sel, l'ail et la poudre de piment ; bien mélanger.

4 Placer la viande dans la sauteuse et remuer à feu vif 7 à 10 minutes pour bien la brunir.

5 Ajouter les petits pois et laisser cuire encore 3 ou 4 minutes, en remuant de temps à autre.

6 Présenter l'agneau dans les assiettes de service, décoré avec le reste des piments verts hachés et les feuilles de coriandre fraîche.

CONSEIL

Une gousse d'ail entière délivre son arôme sans donner au mets tout son mordant ; scindée en deux, elle se fait un peu plus piquante ; hachée menu, elle exhale presque toute sa saveur ; pilée, elle dévoile tout son caractère.

Curry d'agneau

6 personnes

INGRÉDIENTS

1 kg d'agneau, dégraissé désossé ou non
7 cuil. à soupe de yaourt
75 g ou 5 cuil. à soupe d'amandes
2 cuil. à café de garam masala
2 cuil. à café d'ail pressé

2 cuil. à café de gingembre frais haché fin
1 bonne cuil. à café de poudre de piment
1 grosse cuil. à café de sel
300 ml d'huile
3 oignons, hachés fin

4 capsules de cardamome verte
2 feuilles de laurier
3 piments verts, hachés
2 cuil. à soupe de jus de citron
400 g de tomates en boîte
300 ml d'eau
feuilles ciselées de coriandre

1 Détailler la viande en petits dés réguliers.

2 Dans une grande jatte, mélanger avec soin le yaourt, les amandes, le garam masala, le gingembre, l'ail, la poudre de piment et le sel.

3 Chauffer l'huile dans une grande cocotte ; y faire rissoler les oignons avec la cardamome et le laurier, en remuant.

4 Ajouter la viande et la préparation au yaourt ; faire cuire 3 à 5 minutes, sans cesser de remuer.

5 Incorporer deux des piments verts, le jus de citron et les tomates. Faire revenir encore 5 minutes.

6 Verser l'eau dans la cocotte, couvrir et laisser mijoter à feu très doux de 35 à 40 minutes.

7 Ajouter le dernier piment vert et les feuilles de coriandre, puis remuer jusqu'à épaississement de la sauce. Découvrir et augmenter le feu si elle semble trop liquide.

8 Transférer le curry dans des assiettes chaudes et déguster sans attendre.

Marmite d'agneau

6 personnes

INGRÉDIENTS

300 ml d'huile
3 oignons moyens, émincés
1 kg de gigot d'agneau,
  découpé en cubes,
  désossé ou non
2 cuil. à café de garam masala
1 cuil. à café 1/2 de gingembre
  frais haché fin
1 cuil. à café 1/2 d'ail pressé

1 cuil. à café de poudre
  de piment
3 grains de poivre noir
3 capsules de cardamome
  verte
1 cuil. à café de graines
  de cumin noir
2 bâtons de cannelle
1 cuil. à café de paprika

1 bonne cuil. à café de sel
1 yaourt nature
600 ml d'eau
3 pommes de terre moyennes

GARNITURE
2 piments verts émincés
feuilles ciselées de coriandre
  fraîche

1 Chauffer l'huile dans une cocotte et y faire rissoler les oignons. Réserver.

2 Faire revenir la viande dans la cocotte en remuant avec 1 cuillerée à café de garam masala, 5 à 7 minutes à feu doux.

3 Ajouter les oignons et retirer du feu.

4 Mettre dans un saladier le gingembre, l'ail, la poudre de piment, le poivre, la cardamome, le cumin, les bâtons de cannelle, le paprika et le sel. Ajouter le yaourt et mélanger.

5 Remettre la cocotte sur le feu et verser peu à peu le yaourt épicé. Cuire 5 à 7 minutes sans cesser de remuer. Mouiller avec l'eau, réduire le feu, laisser mijoter 40 minutes et remuer de temps à autre.

6 Éplucher et couper les pommes de terre en six morceaux et les déposer dans la cocotte. Couvrir et laisser mijoter 15 minutes, en remuant de temps à autre. Décorer le curry de piments verts et de feuilles de coriandre et servir.

Agneau aux épinards

2 à 4 personnes

INGRÉDIENTS

300 ml d'huile

2 oignons moyens, émincés

1/4 de bouquet de coriandre
fraîche

3 piments verts, hachés

1 cuil. à café 1/2 de gingembre
frais haché fin

1 cuil. à café 1/2 d'ail pressé

1 cuil. à café de poudre
de piment

500 g de gigot d'agneau
avec ou sans os

1 kg d'épinards frais, équeutés,
lavés et hachés ou
400 g d'épinards
en conserve

1/2 cuil. à café de curcuma

1 cuil. à café de sel

700 ml d'eau

GARNITURE

piments rouges frais,
finement hachés

1 Chauffer l'huile dans une poêle ; y faire suer les oignons pour qu'ils deviennent transparents.

2 Ajouter la coriandre fraîche et deux piments verts hachés ; remuer durant les 3 à 5 minutes de cuisson.

3 Réduire le feu et ajouter le gingembre, l'ail, la poudre de piment et le curcuma. Mélanger.

4 Mettre la viande dans la poêle et remuer encore 5 minutes. Ajouter le sel et les épinards, puis laisser cuire de 3 à 5 minutes en mélangeant de temps à autre avec une cuillère en bois.

5 Verser l'eau en remuant, puis couvrir et laisser mijoter 45 minutes à feu doux. Découvrir pour vérifier la cuisson : si la viande n'est pas assez tendre, retourner les morceaux et augmenter la flamme jusqu'à ce que le surplus d'eau soit absorbé. Cuire ensuite de 5 à 7 minutes à feu vif, tout en remuant.

6 Présenter l'agneau et les épinards sur le plat de service, parsemés du fin hachis de piments rouges. Servir chaud.

Côtelettes d'agneau au gingembre

4 à 6 personnes

INGRÉDIENTS

1 kg de côtelettes d'agneau	1 cuil. à café de graines	GARNITURE
2 cuil. à café de gingembre	de cumin noir	pommes chips
frais haché fin	1 grosse cuil. à café de sel	tomates
2 cuil. à café d'ail pressé	850 ml d'eau	quartiers de citron
1 cuil. à café de poivre	2 œufs moyens	brins de coriandre fraîche
1 cuil. à café de garam masala	300 ml d'huile	

1 Ôter les parties grasses des côtelettes.

2 Mélanger le gingembre, l'ail, le garam masala, le cumin et le sel puis enduire les côtelettes de cette préparation.

3 Porter l'eau à ébullition, y déposer les côtelettes et cuire 45 minutes environ, en remuant de temps à autre. Une fois l'eau évaporée, retirer du feu et réserver.

4 Dans un bol, battre les œufs à la fourchette.

5 Chauffer l'huile dans une grande sauteuse

6 Plonger les côtelettes dans les œufs battus et les faire frire 3 minutes, en les retournant une par une.

7 Déposer sur le plat de service et présenter avec les chips, les tomates, les quartiers de citron et la coriandre. Servir chaud.

CONSEIL

Le garam masala est composé de plusieurs épices broyées. Si la recette la plus répandue associe cardamome, cumin, clous de girofle, cannelle, noix muscade et poivre noir, il existe autant de variantes personnelles que de cuisiniers, transmises de génération en génération. Vous trouverez du garam masala en grande surface ou chez un épicier asiatique.

Tomates farcies

4 à 6 personnes

INGRÉDIENTS

6 grosses tomates bien fermes
50 g de beurre
1 oignon pas trop gros,
    finement haché
5 cuil. à soupe d'huile
1 cuil. à café d'ail pressé

1 cuil. à café de gingembre
    frais haché fin
1 cuil. à café de poivre
1 cuil. à café de sel
1/2 cuil. à café de garam
    masala

500 g de viande d'agneau,
    hachée
1 piment vert
feuilles de coriandre fraîche

1 Préchauffer le four à 180 °C. Rincer les tomates, en ôter le chapeau et les évider.

2 Graisser un plat à four avec 50 g de beurre et y déposer les tomates.

3 Chauffer l'huile dans une poêle et y faire dorer les oignons.

4 Réduire le feu et ajouter le gingembre, l'ail, le poivre, le sel et le garam masala. Faire frire de 3 à 5 minutes tout en remuant.

5 Déposer le hachis d'agneau dans la poêle et faire frire de 10 à 13 minutes.

6 Ajouter le piment vert et les feuilles de coriandre ; poursuivre la cuisson de 3 à 5 minutes.

7 Farcir les tomates avec la viande et replacer les chapeaux. Passer au four de 15 à 20 minutes.

8 Dresser les tomates sur les assiettes de service ; servir très chaud.

VARIANTE

Adaptez cette recette aux poivrons rouges ou verts.

Kebabs d'agneau

6 à 8 personnes

INGRÉDIENTS

1 kg de viande d'agneau sans os, dégraissée, en dés	1/2 cuil. à café de curcuma	1 poivron vert, découpé en gros carrés
1 bonne cuil. à café de gingembre frais haché	1 cuil. à café de sel	1 poivron rouge, découpé en gros carrés
1 cuil. à café 1/2 d'ail pressé	2 cuil. à soupe d'eau	2 citrons ,coupés en quartiers, pour décorer
1 cuil. à café de poudre de piment	8 tomates, coupées en deux	
	8 oignons grelots	
	10 champignons	
	2 cuil. à soupe d'huile	

1 Dans une terrine, mélanger le gingembre, l'ail, la poudre de piment, le curcuma et le sel. Mouiller avec l'eau et remuer jusqu'à obtenir une consistance pâteuse.

2 Ajouter les dés de viande et mélanger pour les enrober de préparation épicée.

3 Garnir des brochettes en alternant dés de viande, champignons, oignons grelots et carrés de poivron. Badigeonner d'huile la viande et les légumes avec un pinceau.

4 Passer les kebabs 30 minutes sous le gril préchauffé, ou jusqu'à ce que la viande soit cuite à cœur. Sortir les brochettes du four et les disposer sur le plat de service. Décorer avec les quartiers de citron et servir sans attendre.

Accompagner les kebabs de riz nature et d'une sauce raita (*voir* page 216).

CONSEIL

Les brochettes en bois doivent tremper vingt minutes dans l'eau avant utilisation, sinon elles risquent de brûler.

Sauté d'agneau au chou-fleur

4 personnes

INGRÉDIENTS

1 chou-fleur moyen
2 piments verts
300 ml d'huile
2 oignons, émincés
500 g d'agneau, en cubes
1 bonne cuil. à café de
   gingembre frais haché fin

1 cuil. à café d'ail pressé
1 cuil. à café de poudre
   de piment
1 cuil. à café de sel
feuilles ciselées de coriandre
850 ml d'eau
1 cuil. à soupe de jus de citron

BAGHAAR
150 ml d'huile
4 piments rouges séchés
1 cuil. à café de graines
   de nigelle et de moutarde
   noire

1 Détailler le chou-fleur en petits bouquets et hacher finement les piments.

2 Chauffer l'huile dans une grande sauteuse ; y faire dorer les oignons.

3 Réduire la flamme et ajouter la viande, tout en remuant.

4 Incorporer le gingembre, l'ail, la poudre de piment et le sel. Faire sauter 5 minutes.

5 Ajouter un piment vert et la moitié de la coriandre.

6 Mouiller avec l'eau et laisser cuire à couvert 30 minutes environ.

7 Ajouter le chou-fleur et laisser mijoter 15 à 20 minutes, jusqu'à complète évaporation.

Retirer du feu et asperger d'un peu de jus de citron.

8 Pour confectionner le baghaar, chauffer l'huile dans une petite casserole ; y faire brunir le mélange de graines en remuant de temps en temps. Verser les graines sur le chou-fleur cuit.

9 Parsemer du reste de piment vert et de coriandre. Servir.

Agneau aux lentilles

6 personnes

INGRÉDIENTS

100 g de chana dhaal
(pois cassés blonds)

100 g de masoor dhaal
(lentilles corail)

100 g de mong dhaal
(pois cassés jaune)

100 g de urid dhaal (haricots
indiens à chair blanche)

75 g de flocons d'avoine

KHORMA

1,5 kg d'agneau non désossé,
coupé en dés

200 ml de yaourt nature

2 cuil. à café de gingembre
frais haché fin

2 cuil. à café d'ail pressé

1 cuil. à soupe de garam
masala

2 cuil. à café de poudre
de piment

1/2 cuil. à café de curcuma

3 capsules de cardamome
vertes entières

2 bâtonnets de cannelle

1 cuil. à café de graines
de cumin noir

2 cuil. à café de sel

450 ml d'huile

5 oignons moyens, émincés

700 ml d'eau

2 piments verts ,hachés

feuilles de coriandre fraîche

GARNITURE

6 piments verts, hachés

1/2 bouquet de coriandre
fraîche, hachée

2 tronçons de rhizome
de gingembre, râpés

3 citrons, coupés en quartiers

1 Faire tremper une nuit les légumes secs et l'avoine, puis les cuire, les réduire en purée et réserver.

2 Mélanger agneau, yaourt, épices et sel.

3 Chauffer 300 ml d'huile dans une sauteuse ;

y faire dorer quatre oignons. Ajouter la viande et faire revenir en remuant, 7 à 10 minutes. Mouiller avec l'eau, baisser le feu et laisser mijoter 1 heure à couvert.

4 Ajouter les légumes. Si la consistance est trop épaisse, ajouter 300 ml d'eau

et laisser cuire de 10 à 12 minutes. Incorporer piments, gingembre et coriandre. Transférer sur un plat de service.

5 Faire dorer l'oignon restant puis le déposer sur la viande et le dhaal. Décorer de citron et servir.

Boulettes d'agneau

4 personnes

INGRÉDIENTS

500 g d'agneau, haché
1 cuil. à café de gingembre pilé
1 cuil. à café d'ail pressé
1 cuil. à café de garam masala
1 bonne cuil. à café de graines de pavot
1 cuil. à café de sel
1/2 cuil. à café de poudre de piment
1 oignon moyen, haché fin
1 piment vert, haché fin

feuilles de coriandre fraîche
1 cuil. à soupe de farine de pois chiches
150 ml d'huile

SAUCE
2 cuil. à soupe d'huile
3 oignons moyens, finement hachés
2 petits bâtonnets de cannelle
2 grosses capsules de cardamome noire

1 cuil. à café de gingembre frais haché très fin
1 cuil. à café d'ail pressé
1 cuil. à café de sel
1/2 yaourt nature
150 ml d'eau

GARNITURE
feuilles ciselées de coriandre fraîche
1 piment vert, finement haché

1 Mettre l'agneau dans une terrine ; ajouter gingembre, ail, garam masala, graines de pavot, sel, poudre de piment, oignon, piment vert, coriandre et farine de pois chiches. Mélanger à la fourchette.

2 Confectionner de petites boulettes dans la paume des mains.

3 Pour la sauce : chauffer l'huile et faire dorer les oignons. Ajouter la cannelle et la cardamome, puis cuire 5 minutes à feu modéré. Incorporer gingembre, ail, sel, yaourt et eau ; mélanger soigneusement.

4 Verser dans une coupe et garnir de piment vert et de coriandre hachés.

5 Chauffer l'huile dans une poêle ; y faire dorer les boulettes de viande durant 8 à 10 minutes.

6 Déposer les boulettes sur des assiettes chaudes. Servir avec la sauce et des chapatis (*voir* page 180).

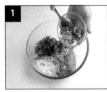

Chiches-kebabs

Pour 10 à 12 kebabs

INGRÉDIENTS

500 g d'agneau, haché
feuilles de coriandre fraîche
1 oignon moyen, haché fin
2 piments verts, finement
    hachés
2 cuil. à soupe de yaourt
1 cuil. à café d'ail pressé

1 cuil. à café de gingembre
    frais haché très fin
1 cuil. à café de cumin moulu
1 cuil. à café de coriandre
    moulue
1 cuil. à café de poudre
    de piment

1 cuil. à café de sel
1/2 cuil. à café de poivre
    moulu de la Jamaïque
1 cuil. à café de garam masala
poudre de piment et coriandre
    fraîche, en garniture
quartiers de citron

1 Hacher finement la coriandre. La mélanger dans un bol avec les piments verts et l'oignon.

2 Dans un autre bol, mélanger le yaourt avec l'ail, le gingembre, le cumin, les graines de coriandre, le sel, la poudre de piment, le poivre de la Jamaïque et le garam masala. Incorporer à la préparation d'oignons.

3 Verser le mélanges sur le hachis d'agneau

et malaxer pour bien mêler tous les ingrédients.

4 Diviser la viande hachée en dix à douze portions égales. Enrouler chacune d'entre elles autour d'une brochette, puis presser doucement avec les doigts.

5 Faire rôtir les kebabs sous le gril du four, à température moyenne, en arrosant d'un peu d'huile.

6 Parsemer de poudre de piment et de coriandre fraîche, puis servir avec les quartiers de citron et une sauce raita (voir page 216).

VARIANTE

Les kebabs cuits au barbecue sont tout aussi succulents. Servez-les dans un pain pita ou accompagnés d'une salade.

Curry d'agneau aux piments

4 personnes

INGRÉDIENTS

2 cuil. à café de cumin moulu	2 cuil. à café de graines de sésame	1 cuil. à café de sel
2 cuil. à café de coriandre moulue	1 cuil. à café de gingembre frais haché fin	500 g d'agneau, en petits dés
2 cuil. à café de noix de coco déshydratée (râpée)	1 cuil. à café d'ail pressé	450 ml d'huile
1 cuil. à café de graines de nigelle et de moutarde	1 cuil. à café de poudre de piment	3 oignons moyens, émincés
		1 l d'eau
		2 cuil. à soupe de jus de citron
		4 piments verts, fendus

1 Dans une poêle à fond épais, faire griller à sec le cumin, la coriandre, la noix de coco, les graines de moutarde et de nigelle et le sésame. Remuer souvent pour ne pas les brûler puis les broyer dans un mortier.

2 Dans une grande terrine, mélanger ces épices avec l'ail, le gingembre, la poudre de piment, le sel et les cubes de viande. Réserver.

3 Dans une deuxième poêle, chauffer 300 ml d'huile et y faire dorer les oignons.

4 Ajouter la viande épicée aux oignons et mélanger de 5 à 7 minutes sur feu doux. Mouiller avec l'eau et laisser mijoter 45 minutes, en remuant de temps en temps. Lorsque la viande est cuite à cœur, retirer du feu et arroser de jus de citron.

5 Chauffer le reste de l'huile dans une casserole ; y déposer les quatre piments verts fendus puis réduire le feu et couvrir. Retirer du feu après 30 secondes environ, et laisser tiédir.

6 Verser l'huile pimentée sur le curry et servir chaud, accompagné de dhaal aux oignons (*voir* page 142) et de riz complet.

Koftas aux œufs

6 personnes

INGRÉDIENTS

500 g d'agneau, haché
1 petit oignon, haché fin
1 piment vert, haché très fin
1 cuil. à café de gingembre
    frais finement haché

1 cuil. à café d'ail pressé
1 cuil. à café de coriandre
    moulue
1 cuil. à café de garam masala
1 cuil. à café de sel

1 cuil. à soupe 1/2 de farine
    de pois chiches
1 œuf battu
6 œufs durs écalés
huile pour friture

1 Mettre la viande, l'oignon et le piment vert dans un bol et mélanger, puis broyer au mixeur ou dans un mortier.

2 Ajouter le gingembre, l'ail, la coriandre, le garam masala, le sel, la farine et l'œuf battu. Malaxer à la main pour bien mélanger.

3 Diviser la préparation en six portions égales et aplatir chacune d'elles pour obtenir des disques d'environ 5 mm d'épaisseur. Déposer un œuf dur au centre de chaque disque et l'enrober totalement. Réserver au frais 20 à 30 minutes.

4 Pendant ce temps, faire chauffer l'huile dans un karahi ou une friteuse. Déposer délicatement les koftas dans le bain de friture, puis les laisser dorer de 2 à 4 minutes. Les retirer avec une écumoire et les laisser égoutter sur du papier absorbant. Couper les œufs en deux et servir sans attendre.

VARIANTE

*Accommodez
les œufs enrobés
avec la sauce
pour boulettes d'agneau
(voir page 36).*

Curry de poulet aux champignons

4 personnes

INGRÉDIENTS

5 ou 6 blancs de poulet
3 cuil. à soupe d'huile
2 oignons émincés
2 gousses d'ail pressées
2 ou 3 cm de rhizome de
   gingembre frais, haché
2 piments verts, épépinés
   et hachés, ou 1 à 2 cuil.
   à café de purée de piment
1 cuil. à soupe 1/2 de pâte
   de curry

1 cuil. à café de coriandre
   moulue
200 à 250 g de champignons,
   émincés
850 ml de bouillon
3 tomates, concassées
1 grosse pincée de sel
60 g de pulpe de noix de coco,
   hachée
2 cuil. à soupe d'amandes
   en poudre

GARNITURE
2 cuil. à soupe d'huile
1 poivron rouge ou vert,
   épépiné et taillé en lanières
6 oignons frais, parés
   et émincés
1 cuil. à café de graines
   de cumin

1 Détailler le poulet en bouchées. Chauffer l'huile dans une sauteuse, y saisir le poulet en remuant fréquemment. Réserver.

2 Mettre les oignons, l'ail, le gingembre, les piments, la pâte de curry et la coriandre dans la sauteuse et laisser cuire pendant 2 minutes à feu doux. Ajouter les champignons, le bouillon, les tomates et du sel.

3 Remettre le poulet, couvrir et laisser mijoter 1 h 30, jusqu'à ce que le poulet soit tendre.

4 Verser la noix de coco et la poudre d'amandes sur le curry, couvrir et prolonger la cuisson de 3 minutes.

5 Pendant ce temps, préparer la garniture. Chauffer l'huile dans une sauteuse ; y faire suer les lanières de poivron et d'oignon frais pour les rendre satinées et légèrement croquantes. Ajouter le cumin et retirer du feu après 30 secondes ; répartir sur le curry et servir.

Kebabs de bœuf

Pour 10 à 12 kebabs

INGRÉDIENTS

3 cuil. à soupe de chana dhaal
(pois cassés blonds)
500 g de bœuf, coupé
en petits dés
1 cuil. à café de gingembre
frais finement haché
1 cuil. à café de poudre
de piment

1 cuil. à café d'ail pressé
1 grosse cuil. à café de sel
1 bonne cuil. à café de garam
masala
3 piments verts
feuilles de coriandre fraîche
1 oignon moyen, haché
300 ml d'huile

1 l d'eau
2 cuil. à soupe de yaourt
1 œuf moyen

GARNITURE
rondelles d'oignons
quartiers de citron

1 Rincer deux fois les chana dhaal pour en ôter les impuretés. Faire bouillir jusqu'à complète évaporation : les pois doivent être moelleux. Les réduire en pâte avec un mixeur.

2 Mélanger viande, sel, gingembre, poudre de piment, et garam masala dans une terrine. Ajouter 2 piments verts, la moitié de la coriandre et l'oignon.

3 Chauffer 2 cuillerées à soupe d'huile dans une casserole ; ajouter la viande et l'eau. Couvrir et laisser cuire 45 à 60 minutes à feu doux. Lorsque la viande est tendre, découvrir et cuire encore 10 à 15 minutes pour que l'excès d'eau s'évapore. Passer ensuite la viande au mixeur.

4 Dans une jatte, malaxer le yaourt, l'œuf, la purée de pois, le reste de piment vert et la coriandre. Fragmenter en petites portions et façonner une douzaine de petites boulettes aplaties dans la paume de la main.

5 Chauffer le reste d'huile dans une poêle et y frire les kebabs trois par trois ; les retourner une fois.

6 Garnir et servir aussitôt.

Émincé de bœuf au yaourt

4 personnes

INGRÉDIENTS

500 g de bœuf maigre
  en morceaux de 2 à 3 cm
5 cuil. à soupe de yaourt
1 cuil. à café de gingembre,
  haché fin
1 cuil. à café d'ail pressé
1 cuil. à café de poudre
  de piment
1 pincée de curcuma

2 cuil. à café de garam masala
1 cuil. à café de sel
2 capsules de cardamome
1 cuil. à café de graines
  de cumin noir
50 g d'amandes en poudre
1 cuil. à soupe de noix de coco
  déshydratée (râpée)
300 ml d'huile

2 cuil. à soupe de graines
  de pavot et de sésame
2 oignons moyens, hachés
300 ml d'eau
2 piments rouges, finement
  hachés
quelques feuilles de coriandre
  hachées et des lanières de
  piment rouge pour garnir

1 Dans une terrine,
mélanger le bœuf,
le yaourt, le gingembre,
l'ail, la poudre de piment,
le curcuma, le garam
masala, le sel, la cardamome
et le cumin ; réserver.

2 Dans une grande
poêle, faire griller à sec
les amandes, la noix de
coco, les graines de pavot et
de sésame ; faire
fréquemment sauter le

mélange pour éviter qu'il
ne brûle.

3 Moudre ce mélange
d'épices dans
le mixeur, puis le remettre
dans la poêle avec
1 cuillerée à soupe d'eau.
Incorporer cette
préparation à la viande.

4 Faire chauffer un peu
d'huile dans une
grande cocotte ; y faire

rissoler les oignons, puis
les retirer. Faire revenir la
viande 5 minutes environ,
puis remettre les oignons
dans la cocotte. Poursuivre
la cuisson de 5 à 7 minutes.
Mouiller avec l'eau,
couvrir et laisser mijoter
à feu doux 30 mn environ,
en remuant de temps
en temps. Parsemer
de feuilles de coriandre
et de lanières de piment.
Servir chaud.

Bœuf khorma aux amandes

6 personnes

INGRÉDIENTS

300 ml d'huile

3 oignons moyens, hachés

1 kg de viande de bœuf, dégraissée, en cubes

1 bonne cuil. à café de coriandre moulue

1 cuil. à café de gingembre frais, haché fin

1 cuil. à café de garam masala

1 bonne cuil. à café d'ail pressé

1 bonne cuil. à café de sel

1 yaourt nature

2 clous de girofle

3 capsules de cardamome verte

4 grains de poivre noir

600 ml d'eau

GARNITURE

6 amandes, mondées et concassées

2 piments verts, hachés

quelques brins de coriandre

1 Chauffer l'huile dans une sauteuse ; y faire dorer les oignons.

2 Mettre la viande dans la sauteuse et la faire revenir pendant 5 minutes, puis retirer du feu.

3 Mélanger le garam masala, la coriandre moulue, le gingembre, l'ail, le sel et le yaourt dans une terrine. Ajouter la viande petit à petit, en prenant soin de bien l'enrober de yaourt épicé. La remettre dans la sauteuse et faire brunir cette préparation de 5 à 7 minutes.

4 Ajouter les clous de girofle, la cardamome et le poivre. Mouiller avec l'eau, couvrir et laisser mijoter de 45 à 60 minutes à feu doux. Si l'eau s'évapore complètement avant que la viande ne soit parfaitement tendre, rajouter 300 ml d'eau et prolonger la cuisson de 10 ou 15 minutes, en remuant de temps à autre.

5 Au moment de servir, parsemer le khorma d'amandes concassées, de piments verts et de feuilles de coriandre fraîche. Présenter avec des chapatis (*voir* page 180).

Bœuf aux épices entières

4 personnes

INGRÉDIENTS

300 ml d'huile
3 oignons moyens
    hachés fin
2 à 3 cm de rhizome
    de gingembre, râpé
4 gousses d'ail, pressées
2 bâtonnets de cannelle

3 capsules de cardamome
    verte
3 clous de girofle
4 grains de poivre noir
6 piments rouges séchés,
    émiettés
1 yaourt

500 g de bœuf, avec ou sans
    os, détaillé en cubes
3 piments verts, hachés
600 ml d'eau
feuilles de coriandre fraîche

1 Chauffer l'huile dans une poêle ; y faire dorer les oignons.

2 Réduire le feu et ajouter le gingembre, l'ail, la cannelle, la cardamome, les clous de girofle, le poivre et les piments rouges. Faire revenir 5 minutes.

3 Dans une jatte, battre le yaourt avec une fourchette ; l'ajouter aux oignons et bien mélanger.

4 Mettre la viande et deux des piments verts dans la poêle, et faire revenir de 5 à 7 minutes.

5 Mouiller peu à peu avec l'eau, tout en remuant. Couvrir et laisser cuire 1 heure ; remuer et ajouter de l'eau si nécessaire.

6 Lorsque la cuisson est parfaitement achevée, retirer du feu et déposer la viande et les épices dans un plat de service. Parsemer du reste de hachis de piments verts et de coriandre fraîche.

VARIANTE

Vous pouvez remplacer le bœuf par de l'agneau.

Rognons frits

4 personnes

INGRÉDIENTS

500 g de rognons d'agneau
2 cuil. à café de curcuma
2 à 3 cuil. à café de sel
150 ml d'eau
1 poivron vert, en lanières

1 cuil. à café de gingembre
frais, haché fin
1 cuil. à café d'ail pressé
1 cuil. à café de poudre
de piment

3 cuil. à soupe d'huile
1 petit oignon, haché fin
feuilles de coriandre

1 Débarrasser les rognons de leur fine membrane, puis les découper en 5 ou 6 morceaux.

2 Mettre les rognons dans une terrine avec le curcuma et 2 cuillerées de sel. Ajouter l'eau, bien mélanger à la cuillère, puis laisser mariner 1 heure environ. Égoutter les rognons, sans conserver la marinade ; les rincer à l'eau froide jusqu'à parfaite transparence de l'eau.

3 Déposer les rognons et le poivron dans une petite cocotte. Couvrir d'eau et faire cuire à feu moyen, en laissant le couvercle entrouvert. Cuire jusqu'à totale évaporation de l'eau.

4 Incorporer le gingembre, l'ail, la poudre de piment et un peu de sel puis bien mélanger.

5 Ajouter l'huile, l'oignon et la coriandre puis faire revenir de 7 à 10 minutes.

6 Déposer les rognons sur le plat de service ; servir chaud.

CONSEIL

De nombreuses personnes répugnent à consommer des rognons, réputés exhaler une odeur désagréable, même après cuisson. Un lavage suivi d'un bon trempage permet, la plupart du temps, d'éliminer cet inconvénient.

Poulet tikka

6 personnes

INGRÉDIENTS

1 cuil. à café de gingembre frais, haché fin
1 cuil. à café d'ail pressé
1/2 cuil. à café de coriandre moulue
1/2 cuil. à café de cumin moulu
3 cuil. à soupe de yaourt

1 cuil. à café de poudre de piment
1 cuil. à café de sel
2 cuil. à soupe de jus de citron
quelques gouttes de colorant alimentaire rouge (facultatif)
1,5 kg de blancs de poulet

1 cuil. à soupe de concentré de tomates
1 oignon émincé
3 cuil. à soupe d'huile
6 feuilles de laitue et quartiers de citron pour garnir

1 Mélanger le gingembre, la coriandre, le cumin et la poudre de piment.

2 Ajouter le yaourt, le sel, le jus de citron, le colorant rouge et le concentré de tomates.

3 Détailler le poulet en morceaux puis le déposer dans le mélange épicé ; bien remuer et laisser mariner au moins 3 heures, ou, de préférence, toute une nuit.

4 Mettre l'oignon dans un plat à four et l'asperger de la moitié de l'huile.

5 Y poser les morceaux de poulet et passer sous le gril du four préchauffé. Cuire 30 minutes, en retournant les morceaux à mi-cuisson et en arrosant avec le reste de l'huile.

6 Présenter le poulet tikka sur les feuilles de laitue, garnir avec les quartiers de citron.

CONSEIL

Servir avec des petits pains naans (voir page 178), de la sauce raita (voir page 216) et du chutney à la mangue (voir page 218), ou tel quel, en hors-d'œuvre.

Poulet sauté au poivre

4 à 6 personnes

INGRÉDIENTS

8 cuisses de poulet
1 cuil. à café de gingembre
frais, haché fin
1 cuil. à café d'ail pressé
1 cuil. à café de sel
1 bonne cuil. à café de poivre

150 ml d'huile
150 ml d'eau
1 poivron vert
en lanières épaisses
2 cuil. à soupe de jus de citron
50 g de beurre

LÉGUMES
200 g de maïs doux, surgelé
200 g de petits pois surgelés
1/2 cuil. à café de poudre
de piment
1 cuil. à soupe de jus de citron
feuilles de coriandre fraîche,
pour décorer

1 Désosser les cuisses de poulet (facultatif).

2 Dans une terrine, mélanger le gingembre, l'ail, le sel et le poivre grossièrement concassé.

3 Ajouter les cuisses de poulet et réserver.

4 Chauffer l'huile dans une grande sauteuse ; y faire revenir le poulet 10 minutes.

5 Réduire le feu et incorporer le poivron et l'eau. Laisser mijoter 10 minutes, puis asperger avec le jus de citron.

6 Pendant ce temps, préparer les légumes : faire fondre le beurre dans une grande poêle. Y faire revenir les petits pois et le maïs environ 10 minutes, en remuant souvent. Incorporer le sel et la poudre de piment, puis

poursuivre la cuisson encore 5 minutes.

7 Arroser les légumes du jus de citron et garnir de coriandre fraîche.

8 Dresser le poulet et le poivron sur des assiettes ; présenter avec le plat de légumes.

Kebabs de poulet

6 à 8 personnes

INGRÉDIENTS

1,5 kg de poulet désossé
1/2 cuil. à café de cumin moulu
4 graines de cardamome, pilées
1/2 cuil. à café de cannelle
en poudre
1 cuil. à café de sel
1 cuil. à café d'ail pressé

1 cuil. à café de gingembre
frais, haché fin
1/2 cuil. à café de poivre
moulu de la Jamaïque
1/2 cuil. à café de poivre
300 ml d'eau
2 cuil. à soupe de yaourt

2 piments verts
1 petit oignon
feuilles de coriandre fraîche
1 œuf moyen, battu
300 ml d'huile
feuilles de salade et quartiers
de citron, pour garnir

1 Mettre le poulet dans une grande cocotte. Ajouter cumin, cardamome, cannelle, sel, ail, gingembre, les deux poivres et mouiller avec l'eau. Porter à ébullition et poursuivre jusqu'à totale évaporation.

2 Passer le poulet au mixeur jusqu'à obtention d'une pâte homogène. Transférer dans une terrine, ajouter le yaourt et bien mélanger.

3 Passer les piments verts, l'oignon et la coriandre au mixeur pour les hacher menu. Incorporer à la préparation au poulet, ajouter l'œuf battu et bien mélanger.

4 Fractionner en 10 à 15 portions ; les façonner en petites boulettes aplaties dans la paume de la main.

5 Chauffer l'huile dans une sauteuse et y faire délicatement dorer les boulettes à feu doux, en procédant par bains successifs. Laisser les kebabs s'égoutter sur du papier absorbant, puis servir aussitôt.

CONSEIL

Les kebabs indiens (kabak) ne sont pas nécessairement cuits sur une brochette, car on les sert parfois sur une assiette. Ils se dégustent nature, sans aucune sauce.

Poulet aux oignons

4 personnes

INGRÉDIENTS

300 ml d'huile
4 oignons moyens, hachés
1 cuil. à café 1/2 de gingembre frais haché fin
1 cuil. à café 1/2 de garam masala
1 cuil. à café 1/2 d'ail pressé

1 cuil. à café de poudre de piment
1 cuil. à café de coriandre moulue
3 capsules de cardamome
3 cuil. à soupe de concentré de tomates

3 grains de poivre
8 cuisses de poulet, sans peau
300 ml d'eau
2 cuil. à soupe de jus de citron
1 piment vert
feuilles de coriandre fraîche
fines lanières de piment vert

1 Chauffer l'huile dans une grande sauteuse ; y faire dorer l'oignon en remuant de temps à autre.

2 Réduire le feu et ajouter gingembre, garam masala, poudre de piment, coriandre moulue, cardamome et poivre, en mélangeant bien.

3 Incorporer le concentré de tomates et faire cuire de 5 à 7 minutes.

4 Mettre les cuisses de poulet dans la sauteuse ; bien les enrober de sauce.

5 Mouiller avec l'eau, couvrir et laisser mijoter de 20 à 25 minutes.

6 Incorporer le jus de citron, le piment vert et la coriandre fraîche ; mélanger le tout délicatement au reste de la préparation.

7 Transférer le poulet et les oignons sur des assiettes chaudes ; décorer et servir chaud.

CONSEIL

On nomme do pyaza un mets de viande assaisonné aux oignons. Préparé à l'avance puis réchauffé, ce curry n'en sera que meilleur : les arômes se développent alors avec plus d'intensité.

Pilons frits
aux herbes et aux épices

4 personnes

INGRÉDIENTS

8 pilons de poulet
1 bonne cuil. à café
de gingembre frais,
haché très fin
1 cuil. à café d'ail pressé

1 cuil. à café de sel
2 oignons moyens, hachés
1/2 bouquet de coriandre
fraîche
4 à 6 piments verts

600 ml d'huile
4 tomates fermes, découpées
en quartiers
2 gros poivrons, grossièrement
hachés

1 Pratiquer 2 ou 3 incisions sur chaque pilon. Frictionner avec le gingembre, l'ail et le sel. Réserver.

2 Broyer la moitié des oignons, la coriandre et les piments dans un mortier. Frictionner le poulet avec la pâte ainsi obtenue.

3 Chauffer l'huile dans un karahi ou une grande poêle à frire ; y faire dorer le reste des oignons, puis les retirer à l'écumoire. Réserver.

4 Réduire le feu et faites frire les pilons deux par deux jusqu'à ce qu'ils soient cuits à cœur (de 5 à 7 minutes par morceau environ).

5 Après cuisson des pilons, les réserver au chaud.

6 Déposer les tomates et les piments verts dans la poêle et les faire légèrement attendrir.

7 Faire glisser tomates et piments sur le plat de service et y dresser les pilons. Garnir de la préparation aux oignons.

Poulet khorma

4 à 6 personnes

INGRÉDIENTS

1 cuil. à café de gingembre
frais, haché fin
1 bonne cuil. à café d'ail
pressé
2 cuil. à café de garam masala
1 cuil. à café de poudre
de piment
1 cuil. à café de graines
de cumin noir

1 cuil. à café de sel
3 capsules de cardamome
verte, décortiquées
et pilées
1 cuil. à café de coriandre
moulue
1 cuil. à café d'amandes
en poudre
1 yaourt nature

8 blancs de poulet, sans peau
300 ml d'huile
2 oignons moyens, émincés
150 ml d'eau
feuilles de coriandre fraîche
1 piment vert, haché
riz nature, en accompagnement

1 Mélangez yaourt, ail, gingembre, sel, garam masala, poudre de piment, cumin, cardamome, coriandre moulue et amandes en poudre.

2 Recouvrir les blancs de poulet de cette préparation et laisser mariner.

3 Chauffer l'huile dans une poêle à frire ; y faire rissoler les oignons.

4 Ajouter le poulet et le faire revenir de 5 à 7 minutes.

5 Mouiller avec l'eau, couvrir et laisser mijoter de 20 à 25 minutes.

6 Ajouter la coriandre fraîche et le piment vert ; poursuivre la cuisson encore 10 minutes, en remuant délicatement de temps à autre.

7 Transférer sur le plat de service et servir avec du riz nature.

VARIANTE

Il est possible d'utiliser d'autres morceaux que le blanc de poulet, à condition de prolonger la cuisson de 5 minutes à l'étape 5.

Poulet au beurre

4 à 6 personnes

INGRÉDIENTS

100 g de beurre
1 cuil. à soupe d'huile
2 oignons moyens, finement hachés
1 cuil. à café de gingembre frais pilé
2 cuil. à café de garam masala
1 cuil. à café de coriandre moulue
1 cuil. à café d'ail pressé

1 cuil. à café de poudre de piment
1 cuil. à café de graines de cumin noir
1 cuil. à café de sel
3 capsules de cardamome verte entières
3 grains de poivre noir
2 cuil. à soupe de concentré de tomates

8 morceaux de poulet, sans la peau
1 yaourt nature
150 ml d'eau
2 feuilles de laurier
150 ml de crème liquide allégée

GARNITURE
feuilles de coriandre fraîche
2 piments verts, hachés

1 Faire fondre le beurre et l'huile dans une grande sauteuse ; y faire rissoler les oignons en remuant et réduire le feu.

2 Dans un saladier, mélanger le gingembre, le garam masala, la coriandre moulue, la poudre de piment, le cumin, l'ail, le sel, la cardamome et le poivre. Ajouter le concentré de tomates et le yaourt.

3 Déposer le poulet dans cette préparation et bien remuer pour en enrober les morceaux.

4 Mettre le poulet assaisonné dans la sauteuse et le faire revenir en remuant énergiquement de 5 à 7 minutes.

5 Ajouter l'eau et le laurier puis laisser mijoter 30 minutes, en remuant de temps en temps.

6 Incorporer la crème et poursuivre la cuisson de 10 à 15 minutes.

7 Parsemer de coriandre fraîche et de piment vert. Servir chaud.

Poulet tandoori

4 personnes

INGRÉDIENTS

8 pilons de poulet, sans la peau
1 grand yaourt nature
1 cuil. à café de gingembre
    frais haché fin
1 cuil. à café d'ail pressé
1 cuil. à café de poudre
    de piment

2 cuil. à café de cumin
    moulu
2 cuil. à café de coriandre
    moulue
1 cuil. à café de sel
1/2 cuil. à café de colorant
    alimentaire rouge

1 cuil. à soupe de pâte
    de tamarin
150 ml d'eau
150 ml d'huile
feuilles de laitue, pour servir
rondelles d'oignons, de tomates
    et quartiers de citron

1 Pratiquer 2 ou 3 incisions sur chaque morceau de poulet.

2 Dans une terrine, mélanger le yaourt avec le gingembre, l'ail, la poudre de piment, le cumin, la coriandre, le sel et le colorant.

3 Plonger les pilons dans cette préparation en veillant à bien les en recouvrir. Laisser mariner au moins 3 heures.

4 Dans un second récipient, délayer la pâte de tamarin dans l'eau et verser dans la marinade. Remuer le poulet et laisser mariner encore pendant 3 heures.

5 Transférer les pilons dans un plat à four et les badigeonner d'huile. Faire cuire 30 à 35 minutes sous le gril préchauffé, en les retournant de temps en temps et en les arrosant du reste d'huile.

6 Dresser les pilons sur les feuilles de laitue et décorer avec le citron et les rondelles d'oignons et de tomates.

CONSEIL

Accompagnez ce mets de petits pains naan et d'une sauce raita à la menthe (voir page 216).

Poulet épicé au four

4 personnes

INGRÉDIENTS

50 g d'amandes concassées
50 g de noix de coco
 déshydratée (râpée)
150 ml d'huile
1 oignon moyen, haché fin
1 cuil. à café de gingembre
 frais, haché

1 cuil. à café d'ail pressé
1 cuil. à café de poudre
 de piment
1 cuil. à café 1/2 de garam
 masala
1 cuil. à café de sel
1 yaourt nature

1 poulet coupé en 4,
 sans la peau
salade verte

GARNITURE
feuilles de coriandre fraîche
1 citron, coupé en quartiers

1 Dans une sauteuse à fond épais, faire griller les amandes et la noix de coco. Réserver.

2 Chauffer l'huile dans une poêle ; y faire rissoler les oignons en remuant.

3 Dans une jatte, mélanger gingembre, ail, garam masala, et sel avec le yaourt. Incorporer amandes et noix de coco.

4 Ajouter les oignons, bien mélanger et réserver.

5 Répartir les morceaux de poulet dans un plat à four et les enduire de mélange épicé.

6 Faire cuire de 35 à 40 minutes dans le four préchauffé à 160 °C. Vérifier la cuisson à la pointe du couteau, en l'enfonçant dans les parties les plus charnues : lorsqu'un jus clair s'en écoule, le poulet est cuit à cœur. Décorer avec le citron et la coriandre, puis présenter avec une salade verte.

CONSEIL

Pour relever, augmentez les quantités de poudre de piment et de garam masala.

Poulet jalfrezi

4 personnes

INGRÉDIENTS

1 cuil. à café d'huile de graines de moutarde	1 cuil. à café de curcuma	1 cuil. à café de vinaigre de vin rouge
3 cuil. à soupe d'huile	1/2 cuil. à café de cumin moulu	1 petit poivron rouge, haché
1 gros oignon, finement haché	1/2 cuil. à café de coriandre moulue	125 g de fèves surgelées
3 gousses d'ail, pilées	1/2 cuil. à café de poudre de piment	500 g de blancs de poulet cuits, en morceaux
1 cuil. à soupe de concentré de tomates	1/2 cuil. à café de garam masala	sel
2 tomates pelées, concassées		brins de coriandre fraîche

1 Faire chauffer l'huile de moutarde dans une grande sauteuse. Dès qu'elle commence à fumer, la couper avec l'huile végétale, ajouter l'ail et l'oignon et les faire dorer.

2 Incorporer les tomates et le concentré, le curcuma, le cumin, la coriandre moulue, la poudre de piment, le garam masala et le vinaigre.

Remuer jusqu'à ce que les arômes se développent.

3 Ajouter le poivron et les fèves puis mélanger 2 minutes (le poivron doit se détendre). Compléter avec les morceaux de poulet et le sel. Laisser le curry cuire à feu doux de 6 à 8 minutes jusqu'à ce que le poulet soit chaud et les fèves bien tendres.

4 Agrémenter de coriandre et servir.

CONSEIL

Cette recette est idéale pour accommoder les restes de volaille. Tous les types de haricots peuvent se substituer aux fèves, ainsi que certains légumes tels que courgettes, brocolis, pommes de terre et autres légumes racines. Les légumes feuilles ne donnent pas d'aussi bons résultats.

Beignets de poisson

4 à 6 personnes

INGRÉDIENTS

100 g de farine de pois chiches
1 cuil. à café de gingembre
    frais haché fin
1 cuil. à café d'ail pressé
2 cuil. à café de poudre
    de piment
1 cuil. à café de sel

1/2 cuil. à café de curcuma
2 piments verts hachés
feuilles de coriandre fraîche,
    hachées
300 ml d'eau
1 kg de cabillaud
300 ml d'huile

riz, en accompagnement

GARNITURE
2 citrons, coupés en quartiers
6 piments verts, fendus
    en leur milieu

1 Dans une grande jatte, mélanger farine, gingembre, ail, poudre de piment, sel et curcuma.

2 Ajouter le piment vert et la coriandre hachés. Mélanger de nouveau.

3 Verser l'eau petit à petit et remuer énergiquement pour obtenir un amalgame assez épais. Réserver.

4 Découper le poisson en huit parts.

5 Tremper les parts de poisson dans le mélange en l'enrobant. Secouer avec précaution pour faire tomber l'excès de chapelure.

6 Chauffer l'huile dans une poêle à fond épais ; y déposer les beignets et les faire dorer de tous côtés.

7 Dresser les beignets sur le plat de service et garnir avec le citron et les piments verts.

CONSEIL

La farine de pois chiches est utilisée pour la confection des pakoras (voir page 192) et comme liant pour celle des kebabs. En l'associant à la farine complète, on obtient de délicieux pains indiens (voir page 176).

Poisson bengali

4 à 6 personnes

INGRÉDIENTS

1 cuil. à café de curcuma

1 cuil. à café de sel

1,5 kg de filet de cabillaud, coupé en morceaux

6 cuil. à soupe d'huile de maïs

4 piments verts

1 cuil. à café de rhizome de gingembre frais haché très fin

1 cuil. à café d'ail pressé

2 oignons moyens, finement hachés

2 tomates, concassées

6 cuil. à soupe d'huile de graines de moutarde

450 ml d'eau

feuilles de coriandre fraîche hachées

1 Mélanger le curcuma et le sel dans un bol.

2 Répartir sur les filets à l'aide d'une cuillère.

3 Chauffer l'huile dans une poêle et y faire frire les filets jusqu'à ce qu'ils se colorent de jaune clair. Les retirer à l'écumoire et réserver.

4 Broyer les piments verts, le gingembre, l'ail, les oignons, les tomates et l'huile de moutarde dans un mortier afin d'obtenir une pâte, ou passer ces ingrédients au mixeur.

5 Dans une cocotte, faire revenir cette pâte pour bien la dorer.

6 Retirer la cocotte du feu ; déposer délicatement le poisson dans la pâte, sans le briser.

7 Remettre la sauteuse sur le feu, mouiller avec l'eau et laisser cuire à découvert 15 à 20 minutes à feu moyen.

8 Parsemer de feuilles de coriandre hachées.

CONSEIL

Le climat des plaines orientales du Bengale est propice à l'épanouissement de la moutarde noire, ou sénevé, dont sont extraites huile de cuisson et graines à saveur piquante. Cette huile aromatise les plats de poisson.

Crevettes aux deux poivrons

4 personnes

INGRÉDIENTS

500 g de crevettes roses ou
grises surgelées,
décortiquées
1 cuil. à café d'ail pressé

1 petit bouquet de coriandre
fraîche
1 poivron rouge et 1 poivron
vert, moyens

1 cuil. à café de sel
75 g de beurre

1 Faire décongeler
les crevettes puis
les rincer deux fois à l'eau
froide. Bien les égoutter et
les déposer dans une terrine.

2 Hacher finement le
bouquet de coriandre.

3 Ajouter l'ail, le sel et
la coriandre aux
crevettes, puis réserver.

4 Épépiner les poivrons
et les détailler en
minces lanières.

5 Faire fondre le beurre
dans une grande poêle ;
y faire délicatement sauter
les crevettes environ
10 à 12 minutes.

6 Ajouter les poivrons
et poursuivre
la cuisson de 3 à 5 minutes,
en remuant de temps
en temps.

7 Dresser les crevettes et
les poivrons sur le plat
de service. Servir sans
attendre.

VARIANTE

*Vous pouvez également
accommoder de grosses
crevettes ou des gambas.*

Crevettes aux épinards

4 à 6 personnes

INGRÉDIENTS

250 g de crevettes surgelées
350 g d'épinards en branches
  surgelés ou en boîte
2 tomates
150 ml d'huile

1/2 cuil. à café de graines
  de moutarde
1/2 cuil. à café de graines
  de nigelle
1 cuil. à café d'ail pressé

1 cuil. à café de gingembre
  frais haché fin
1 cuil. à café de poudre
  de piment
1 cuil. à café de sel

1 Faire décongeler les crevettes décortiquées dans un bol d'eau froide.

2 Décongeler les épinards et les hacher ou les égoutter s'ils sont en boîte.

3 Débiter les tomates en tranches fines.

4 Chauffer l'huile dans une grande sauteuse ; y verser les graines de nigelle et de moutarde.

5 Réduire la flamme et ajouter tomates, épinards, gingembre, ail, poudre de piment et sel ; faire revenir 5 à 7 minutes.

6 Égoutter et sécher les crevettes.

7 Les ajouter aux épinards, mélanger avec précaution, puis couvrir et laisser mijoter à feu doux environ 7 à 10 minutes.

8 Disposer sur un plat et servir chaud.

CONSEIL

Les épinards surgelés doivent être pressés après décongélation, pour éliminer l'excès d'eau. Vous pouvez préférer les épinards frais.

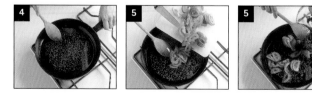

Crevettes tandoori

4 personnes

INGRÉDIENTS

10 à 12 grosses crevettes	1 grosse pincée de sel	quelques gouttes de colorant
100 g de beurre	1 cuil. à café de coriandre	alimentaire rouge
1 cuil. à café de gingembre	moulue	
frais haché très fin	1 cuil. à café de cumin	GARNITURE
1 cuil. à café d'ail pressé	moulu	8 feuilles de laitue
1 cuil. à café de poudre	feuilles ciselées de coriandre	1 ou 2 piments verts, hachés
de piment	fraîche	1 citron, découpé en quartiers

1 Décortiquer les crevettes.

2 Les disposer dans un plat à four.

3 Faire fondre le beurre dans une cocotte.

4 Ajouter le gingembre, l'ail, le piment, le sel, la coriandre moulue, le cumin, la coriandre fraîche et le colorant. Mélanger.

5 Badigeonner les crevettes de la préparation obtenue.

6 Faire cuire les crevettes sous le gril à four très chaud de 10 à 12 minutes, en les retournant une fois.

7 Dresser les crevettes sur les feuilles de laitue et garnir de piments verts hachés et de quartiers de citron.

CONSEIL

Mieux vaut décortiquer les crevettes avant cuisson : certaines personnes pourraient éprouver de l'embarras à le faire devant les autres convives

Crevettes séchées

4 personnes

INGRÉDIENTS

200 g de crevettes séchées
2 oignons moyens, émincés
3 piments verts, hachés fin
feuilles de coriandre fraîche,
    finement hachées

300 ml d'huile
1 bonne cuil. à café
    de gingembre frais haché
1 cuil. à café d'ail pressé
1 pincée de curcuma

1 cuil. à café de sel
1 cuil. à café de poudre
    de piment et une pincée
    pour décorer
2 cuil. à soupe de jus de citron

1 Faire tremper les crevettes pendant deux heures dans un bol d'eau fraîche. Les égoutter puis les rincer deux fois à l'eau courante. Égoutter à nouveau.

2 Chauffer la moitié de l'huile dans une grande cocotte ; y faire rissoler les oignons avec deux des piments verts et la moitié de la coriandre.

3 Ajouter le gingembre, l'ail, le curcuma, le sel et la poudre de piment puis faire cuire encore 2 minutes à feu doux. Réserver.

4 Chauffer le reste de l'huile dans une seconde cocotte. Y faire revenir les crevettes en les remuant de temps à autre, jusqu'à ce qu'elles soient croquantes.

5 Transférer les crevettes avec les oignons et mélanger avec le reste du piment vert et de la coriandre. Remettre sur le feu, arroser de jus de citron et faire revenir la préparation 3 à 5 minutes.

6 Disposer les crevettes sur le plat de service et agrémenter d'une pincée de poudre de piment. Accompagner de chapatis (*voir* page 180).

VARIANTE

Il est possible de réaliser cette recette avec 500 g de crevettes fraîches.

Marmite de crevettes à la tomate

4 à 6 personnes

INGRÉDIENTS

3 oignons moyens
1 poivron vert
1 cuil. à café de gingembre
frais, haché fin
1 cuil. à café d'ail pressé

1 cuil. à café de sel
1 cuil. à café de poudre
de piment
350 g de crevettes surgelées,
décortiquées

1 cuil. à soupe de jus de citron
3 cuil. à soupe d'huile
400 g de tomates en conserve
feuilles de coriandre fraîche

1 Émincer le poivron
et les oignons.

2 Dans une terrine,
amalgamer gingembre,
ail, sel et poudre de piment.

3 Faire décongeler les
crevettes. Bien les
égoutter.

4 Chauffer l'huile dans
une cocotte ; y faire
dorer les oignons.

5 Ajouter la pâte au
gingembre et faire

cuire 3 minutes environ
à feu doux, sans cesser
de remuer.

6 Incorporer les tomates
avec leur jus et
le poivron vert. Faire cuire
5 à 7 minutes, en remuant
de temps en temps.

7 Mettre les crevettes
dans la cocotte et
prolonger la cuisson de
10 minutes environ, en
remuant de temps à autre.
Parsemer de feuilles de
coriandre et servir chaud,

accompagné de riz nature
et d'une salade verte
croquante.

CONSEIL

*Le rhizome de gingembre
est un tubercule d'aspect
noueux, qu'il faut éplucher
avant d'émincer, râper
ou hacher. On peut
le remplacer par de
la poudre de gingembre
séché, d'arôme et
de saveur toutefois
bien inférieurs.*

Légumes

Les Indiens sont en majorité végétariens,
pour des raisons essentiellement religieuses.
C'est pourquoi ils ont fait preuve au fil des siècles
d'une grande inventivité dans le domaine culinaire,
accommodant de mille façons épinards,
tomates, haricots, choux-fleurs et aubergines.
Les gombos et les radis blancs (mooli)
sont moins répandus en Occident, mais il est,
de nos jours, possible de s'en procurer. Ce chapitre
propose notamment une sélection de délicieux mets
végétariens utilisant ces légumes, afin de vous
familiariser avec de nouvelles saveurs.

Les régimes végétariens les plus stricts excluant
la consommation d'œufs et de poisson, il peut
s'ensuivre une carence en protéines et en certaines
vitamines. Il est donc primordial de consommer
un dhaal (légumes secs), riche en protéines,
les glucides étant fournis par le riz complet
ou des pooris (voir page 184). Un raita sera
le complément idéal du repas végétarien
(voir page 216).

Curry de légumes

4 personnes

INGRÉDIENTS

300 ml d'huile
1 cuil. à café de graines
   de cumin blanc
1 cuil. à café de graines
   de nigelle et de moutarde
4 piments rouges séchés
4 tomates, en tranches

1 cuil. à café de sel
1 cuil. à café de rhizome
   de gingembre frais haché
1 cuil. à café d'ail pressé
1 cuil. à café de poudre
   de piment
300 ml d'eau

200 g de haricots verts,
   en bâtonnets
2 pommes de terre moyennes,
   épluchées et en dés
feuilles de coriandre fraîche,
   hachées
2 piments verts, hachés fin

1 Chauffer l'huile dans une grande cocotte à fond épais.

2 Ajouter les graines de cumin, de nigelle et de moutarde puis le piment vert ; mélanger.

3 Incorporer les tomates et faire revenir environ 3 à 5 minutes.

4 Amalgamer le sel, le gingembre, l'ail et la poudre de piment puis ajouter dans la cocotte en mélangeant bien.

5 Ajouter les haricots et les pommes de terre; faire revenir pendant 5 minutes environ.

6 Mouiller avec l'eau et laisser mijoter à feu doux de 10 à 15 minutes, en remuant de temps en temps.

7 Parsemer le curry de coriandre fraîche hachée. Servir chaud, accompagné de riz pilaf.

CONSEIL

Les graines de moutarde sont souvent frites dans de l'huile ou du ghee pour en faire ressortir leur saveur avant d'être accommodées.

Sauté de chou-fleur

4 personnes

INGRÉDIENTS

4 cuil. à soupe d'huile
1/2 cuil. à café de graines
de nigelle
4 piments rouges séchés

1/2 cuil. à café de graines
de moutarde
1/2 cuil. à café de graines
de fenugrec

1 petit chou-fleur détaillé
en bouquets
1 cuil. à café de sel
1 poivron vert, coupé en dés

1 Chauffer l'huile dans une grande sauteuse à fond épais.

2 Mettre les graines et les piments séchés dans la sauteuse. Bien remuer.

3 Baisser le feu puis ajouter peu à peu le chou-fleur. Faire revenir 7 à 10 minutes en enrobant chaque bouquet de mélange épicé.

4 Incorporer les dés de poivron et prolonger la cuisson de 3 à 5 minutes.

5 Disposer le chou-fleur épicé dans un plat et servir sans attendre.

CONSEIL

Les graines de nigelle sont de petits grains noirs, parfois appelés kalonj dans les épiceries asiatiques. Elles sont préférées au poivre pour leur saveur plus corsée et leur légère amertume.

VARIANTE

Pour les grandes occasions, utilisez des choux-fleurs miniatures afin de rendre ce mets encore plus appétissant. Il est, de nos jours, relativement facile de se procurer ces mini-légumes. Retirez les feuilles en laissant les plus petites pour le décor. Faites blanchir le chou-fleur 4 minutes et reprenez la recette à partir de l'étape 3.

Aubergines au yaourt

4 personnes

INGRÉDIENTS

2 aubergines moyennes
4 cuil. à soupe d'huile
1 oignon moyen, émincé
1 cuil. à café de sel

1 cuil. à café de graines
de cumin blanc
1 cuil. à café de poudre
de piment

3 cuil. à soupe de yaourt nature
192 cuil. à café de sauce à la
menthe
feuilles de menthe ciselées

1 Rincer et sécher les
aubergines.

2 Placer les aubergines
dans un plat à four et
faire cuire 45 minutes au
four préchauffé à 160 °C.
Après cuisson, sortir le plat
du four et laisser tiédir.

3 Partager chaque
aubergine en deux
dans le sens de la longueur
et en prélever la chair
à l'aide d'une cuillère.
Réserver.

4 Chauffer l'huile dans
une sauteuse à fond

épais. Ajouter l'oignon et
les graines de cumin puis
faire cuire 1 ou 2 minutes,
sans cesser de remuer.

5 Incorporer la poudre
de piment, le sel,
le yaourt et la sauce
à la menthe.

6 Ajouter ensuite la chair
des aubergines et faire
revenir de 5 à 7 minutes,
jusqu'à complète
absorption du jus de
cuisson.

7 Garnir les moitiés
d'aubergines avec

ce mélange et les disposer
sur le plat de service ;
parsemer de menthe
fraîche ciselée.

CONSEIL

*Source de protéines et de
calcium, le yaourt est
important dans la cuisine
indienne. Un yaourt
crémeux, assez épais, se
rapproche le plus du yaourt
qu'utilisent les Indiens.*

Kebabs végétariens

Pour 10 à 12 kebabs

INGRÉDIENTS

2 grosses pommes de terre,
  coupées en rondelles
1 oignon moyen, émincé
1/2 chou-fleur, en bouquets
50 g de petits pois
1 cuil. à soupe d'épinards
  en purée

2 ou 3 piments verts
feuilles de coriandre fraîche
1 cuil. à café de rhizome
  de gingembre frais haché
1 cuil. à café d'ail pilé
1 cuil. à café de coriandre
  moulue

1 pincée de curcuma
1 cuil. à café de sel
50 g de chapelure
300 ml d'huile
fines lanières de piment,
  pour décorer

1 Mettre les pommes de terre, l'oignon et le chou-fleur dans une casserole d'eau et porter à ébullition. Baisser le feu et laisser frémir jusqu'à complète cuisson des pommes de terre. Retirer les légumes, bien égoutter et placer dans un bol.

2 Ajouter les épinards et les petits pois et écraser le tout à la fourchette.

3 Hacher les piments et la coriandre très fin.

4 Mélanger les piments et la coriandre avec le gingembre, l'ail, la coriandre moulue, le curcuma et le sel. Incorporer cette préparation aux légumes et malaxer à la fourchette, afin d'obtenir une purée.

5 Répandre la chapelure sur une grande assiette.

Façonner 10 à 12 boulettes de purée, puis les aplatir au creux de la main.

7 Déposer les boulettes dans la chapelure et les enrober.

8 Chauffer l'huile dans une poêle à fond épais et y faire dorer les kebabs en plusieurs fois. Répartir sur des assiettes et parsemer de fines lanières de piment.

Gombos aux feuilles de curry

4 personnes

INGRÉDIENTS

500 g de gombos
150 ml d'huile
2 oignons moyens, émincés

3 piments verts, hachés fin
2 feuilles de curry
1 cuil. à café de sel

1 tomate, coupée en tranches
2 cuil. à soupe de jus de citron
feuilles de coriandre fraîche

1 Rincer et égoutter les gombos, puis en couper les extrémités et les jeter. Détailler les gombos en tronçons de 2 ou 3 cm.

2 Chauffer l'huile dans une grande sauteuse à fond épais ; y faire suer les oignons, les piments verts et les feuilles de curry. Saler et mélanger, puis faire revenir pendant 5 minutes.

3 Peu à peu, ajouter les gombos à l'aide d'une écumoire. Faire revenir les légumes de 12 à 15 minutes à feu modéré.

4 Incorporer les tomates et arroser légèrement de jus de citron.

5 Parsemer de feuilles de coriandre, couvrir et laisser cuire à feu doux de 3 à 5 minutes.

6 Répartir les légumes sur un plat et servir aussitôt.

CONSEIL

Le gombo possède une texture très visqueuse qui en fait un épaississant naturel des currys.

CONSEIL

Lors de l'achat, les gombos ne doivent présenter ni meurtrissures ni taches brunes. Des gombos bien frais se conservent 3 jours au réfrigérateur, bien enveloppés de papier journal.

Curry d'épinards au panir

4 personnes

INGRÉDIENTS

300 ml d'huile	1 cuil. à café de cumin moulu	1 cuil. à café de sel
200 g de panir, en dés	1 cuil. à café 1/2 de poudre	400 g d'épinards
3 tomates, émincées	de piment	3 piments verts

1 Chauffer l'huile dans une grande sauteuse; y faire dorer les cubes de fromage en les remuant de temps en temps.

2 Retirer le panir avec une écumoire et le laisser égoutter sur du papier absorbant.

3 Déposer les tomates dans le reste d'huile et les faire cuire 5 minutes tout en les concassant à la spatule.

4 Ajouter le cumin, la poudre de piment et le sel puis bien mélanger.

5 Incorporer les épinards et poursuivre la cuisson de 7 à 12 minutes à feu doux.

6 Ajouter les piments verts et le panir ; faire revenir encore 2 minutes.

7 Transférer le curry dans un plat et servir aussitôt, avec des pooris ou du riz blanc nature.

VARIANTE

Les épinards surgelés conviennent à la confection de ce mets, s'ils ont été bien essorés après décongélation.

CONSEIL

Confection du panir : porter lentement à ébullition 1 l de lait, ajouter 2 cuillerées à soupe de jus de citron et remuer sans cesse jusqu'à ce que le lait épaississe et commence à cailler. Déposer le lait égoutté dans un tamis et le maintenir de 1 h 30 à 2 heures pressé sous un lourd objet : le panir doit se présenter comme un disque de 1 à 2 cm d'épaisseur, que l'on peut débiter en cubes ou selon la forme désirée.

Curry végétarien

4 personnes

INGRÉDIENTS

250 g de navets ou
de rutabagas, épluchés

1 aubergine, parée

350 g de pommes de terre
nouvelles, grattées

250 g de chou-fleur

250 g de jeunes champignons
de Paris

1 gros oignon

6 cuil. à soupe de ghee
(*voir* page 154) ou d'huile

250 g de carottes épluchées

2 gousses d'ail pressées

5 cm de rhizome de gingembre
frais, haché très fin

1 ou 2 piments verts, épépinés
et hachés

1 cuil. à soupe de paprika

2 cuil. à café de coriandre
moulue

1 cuil. à soupe de poudre
ou de pâte de curry

1/2 l de bouillon de légumes

400 g de tomates concassées
en boîte

1 poivron vert, épépiné
et émincé en lanières

1 cuil. à soupe de fécule de maïs

150 ml de lait de coco

2 ou 3 cuil. à soupe d'amandes
broyées

quelques brins de coriandre
fraîche

1 Détailler navets,
aubergine et pommes
de terre en cubes d'environ
1 cm de côté. Diviser le
chou-fleur en bouquets.
Émincer carottes et oignon.

2 Chauffer l'huile ou le
ghee dans une grande
cocotte ; y faire revenir
l'oignon, les navets, les
pommes de terre et le
chou-fleur à petit feu,

3 minutes environ, en
remuant souvent. Ajouter
l'ail, le gingembre, le
piment, le paprika, la
coriandre moulue et le
curry puis cuire 1 minute.

3 Ajouter le bouillon,
l'aubergine et les
champignons ; saler, couvrir
et laisser mijoter 30 minutes
ou le temps nécessaire pour
attendrir les légumes.

Incorporer le poivron et
les carottes, et laisser cuire
5 minutes à couvert.

4 Délayer la fécule
dans le lait de coco et
l'incorporer aux légumes.
Ajouter les amandes et
cuire encore 2 minutes,
sans cesser de remuer.
Transférer dans le plat
de service et parsemer de
brins de coriandre fraîche.

Galettes fourrées

Pour 6 à 8 galettes

INGRÉDIENTS

200 g de riz et 50 g d'urid dhaal,
ou 200 g de riz en poudre
et 50 g d'urid dhaal (haricot
indien à chair blanche)
60 ml d'eau
1 cuil. à café de sel
4 cuil. à soupe d'huile

GARNITURE
4 pommes de terre moyennes,
coupées en dés
3 piments verts, hachés
1/2 cuil. à café de curcuma
1 cuil. à café de sel
150 ml d'huile

1 cuil. à café de graines
de nigelle et de moutarde
3 piments séchés
4 feuilles de curry
2 cuil. à soupe de jus de citron

1 Faire tremper le riz et l'urid dhaal 3 heures, puis broyer pour obtenir une purée lisse en ajoutant de l'eau si nécessaire. Laisser fermenter 3 heures. La préparation utilisant le riz en poudre s'obtient en le mélangeant avec l'urid dhaal ; ajouter l'eau et le sel puis battre pour obtenir un appareil homogène.

2 Faire chauffer 1 cuil. à soupe d'huile dans une poêle à revêtement non adhésif. Verser une louchée

de pâte dans la poêle en lui imprimant un mouvement circulaire pour répartir le mélange. Couvrir et faire cuire 2 minutes à feu moyen. Retirer le couvercle et retourner délicatement. Verser un peu d'huile sur son pourtour, couvrir et laisser cuire 2 minutes. Répéter l'opération jusqu'à épuisement de la pâte.

3 Préparer la farce en faisant bouillir les pommes de terre dans une casserole d'eau. Ajouter

piments, curcuma et sel ; faire cuire pour que les légumes soient assez tendres pour être écrasés.

4 Chauffer l'huile dans une sauteuse ; y faire colorer les graines de nigelle et de moutarde, les piments séchés et les feuilles de curry 1 minute. Verser sur les pommes de terre, arroser de jus de citron et mélanger. Déposer de la farce sur une moitié des galettes, puis replier l'autre moitié sur la garniture.

Pommes de terre épicées

4 personnes

INGRÉDIENTS

6 cuil. à soupe d'huile
2 oignons moyens, hachés
1 cuil. à café de gingembre frais, haché fin
1 cuil. à café d'ail pressé
1 cuil. à café de poudre de piment
1 cuil. à café de cumin moulu

1 bonne cuil. à café de coriandre moulue
1 cuil. à café de sel
400 g de pommes de terre nouvelles, épluchées
1 cuil. à soupe de jus de citron
1 piment vert haché, pour la présentation

BAGHAAR
3 cuil. à soupe d'huile
3 piments rouges séchés
1/2 cuil. à café de chaque :
    graines de nigelle,
    graines de moutarde et
    graines de fenugrec

1 Chauffer l'huile dans une grande sauteuse et y faire dorer les oignons. Baisser le feu et ajouter le gingembre, l'ail, la poudre de piment, le cumin, la coriandre et le sel ; faire revenir 1 minute environ. Ôter la poêle du feu et réserver.

2 Cuire les pommes de terre, les égoutter et les ajouter aux oignons épicés.

Arroser de jus de citron et mélanger.

3 Pour la confection du baghaar, chauffer un peu d'huile dans une casserole et y faire brunir les graines de nigelle, de moutarde et de fenugrec avec le piment séché, sans cesser de remuer. Hors du feu, verser le baghaar sur les pommes de terre.

4 Saupoudrer de piment vert haché et déguster sans attendre.

CONSEIL

Pour donner une touche d'exotisme, présentez cet accompagnement avec un rôti ou des côtes d'agneau.

Curry de radis blanc

4 personnes

INGRÉDIENTS

500 g de mooli (radis blancs), si possible avec leurs feuilles 600 ml d'eau	1 cuil. à soupe de moong dhaal 1 oignon moyen 150 ml d'huile	1 cuil. à café d'ail pressé 1 cuil. à café de piments rouges pilés 1 cuil. à café de sel

1 Rincer, peler et débiter les radis en tronçons, avec leurs feuilles.

2 Mettre les radis, les feuilles et le moong dhaal avec l'eau dans une grande casserole. Porter à ébullition et laisser cuire à petit bouillon jusqu'à ce que les radis soient tendres.

3 Égoutter les radis en les comprimant entre les mains.

4 Couper l'oignon en fines rondelles.

5 Chauffer l'huile dans une sauteuse ; y faire revenir les oignons et l'ail avec le piment et le sel, jusqu'à ce qu'ils soient bien tendres et dorés.

6 Ajouter les radis cuits et mélanger. Faire revenir de 3 à 5 minutes à feu doux, en remuant constamment.

7 Répartir le curry de mooli sur les assiettes et servir chaud, accompagné de chapatis (*voir* page 180).

CONSEIL

Le mooli (radis blanc) ressemble au panais, sans en présenter l'extrémité effilée ; on peut s'en procurer dans certaines grandes surfaces et dans les épiceries asiatiques.

Aubergines au confit d'épices

4 personnes

INGRÉDIENTS

2 cuil. à café de coriandre
   moulue
2 cuil. à café de cumin moulu
2 cuil. à café de noix de coco
   déshydratée
3 cuil. à café de chaque :
   graines de sésame,
   de nigelle et de moutarde
300 ml d'huile
3 oignons moyens, émincés

1 cuil. à café de gingembre
   frais haché fin
1 cuil. à café d'ail pressé
1/2 cuil. à café de curcuma
1/2 cuil. à café de poudre
   de piment
1 cuil. à café 1/2 de sel
3 aubergines, coupées en deux
1 cuil. à soupe de pâte
   de tamarin

BAGHAAR
2 cuil. à café de chaque :
   graines de nigelle,
   de moutarde et de cumin
4 piments rouges séchés
150 ml d'huile
feuilles de coriandre
1 piment vert, haché menu
3 œufs durs, coupés en deux

1 Dans une poêle, faire griller à sec coriandre moulue, cumin, noix de coco, sésame, graines de nigelle et de moutarde. Moudre et réserver.

2 Faire rissoler dans une poêle les oignons. À feu doux, ajouter sel, ail, gingembre, curcuma et poudre de piment ; laisser tiédir et piler ce mélange dans un mortier pour en faire une pâte.

3 Pratiquer 4 entailles dans chaque moitié d'aubergine. Mélanger les épices et la pâte aux oignons et insérer dans les entailles.

4 Délayer le tamarin dans 3 cuil. à soupe d'eau.

5 Pour le baghaar, faire frire à l'huile les graines de nigelle et de moutarde, cumin et piments. Réduire le feu et déposer les aubergines dans le baghaar chaud. Mouiller avec le tamarin et 300 ml d'eau et cuire 15 à 20 minutes. Ajouter la coriandre fraîche et les piments verts. Servir frais avec les œufs durs.

Beignets nature au yaourt

4 personnes

INGRÉDIENTS

100 g de farine de pois chiches
1 cuil. à café de poudre
    de piment
1/2 cuil. à café de sel
1/2 cuil. à café de bicarbonate
    de soude
1 oignon moyen, haché fin
2 piments verts
feuilles de coriandre fraîche
150 ml d'eau
300 ml d'huile

SAUCE AU YAOURT
2 yaourts nature
3 cuil. à soupe de farine
    de pois chiches
150 ml d'eau
1 cuil. à café de gingembre
    frais haché
1 cuil. à café d'ail pressé
1 cuil. à café 1/2 de poudre
    de piment
1 cuil. à café 1/2 de sel

1/2 cuil. à café de curcuma
1 cuil. à café de coriandre
    moulue
1 cuil. à café de cumin
    moulu

ASSAISONNEMENT
150 ml d'huile
1 cuil. à café de graines
    de cumin blanc
6 piments rouges séchés

1 Tamiser la farine au-dessus d'une jatte. Ajouter poudre de piment, sel, bicarbonate, oignon, piments verts et feuilles de coriandre. Mouiller avec l'eau et mélanger pour obtenir une pâte épaisse. Chauffer l'huile dans une poêle ; y déposer des cuillerées de pâte et faire dorer à feu moyen.

2 Pour la sauce, dans une jatte, battre le yaourt avec la farine et l'eau. Ajouter l'ail, toutes les épices et mélanger. À travers une passoire, transvaser le yaourt dans une casserole. Sur feu doux, porter à ébullition sans cesser de remuer. Ajouter un peu d'eau si le yaourt épaissit trop.

3 Verser la sauce dans un plat profond avant d'y disposer les boulettes. Réserver au chaud.

4 Chauffer l'huile dans une poêle ; y faire brunir les graines de cumin blanc et les piments séchés. Verser sur les boulettes et servir sans attendre.

Curry de pommes de terre

4 personnes

INGRÉDIENTS

3 pommes de terre moyennes
150 ml d'huile
1 cuil. à café 1/2 de graines
de nigelle et de fenouil

4 feuilles de curry
2 cuil. à café de cumin
et de coriandre moulu
1 pincée de curcuma

1 cuil. à café de poudre
de piment
1 cuil. à café 1/2 de aamchoor
(poudre de mangue séchée)

1 Éplucher et rincer les pommes de terre, puis les détailler en 6 morceaux.

2 Les faire bouillir de 12 à 16 minutes dans une casserole d'eau ; elles doivent être cuites mais encore fermes (vérifier à la pointe du couteau). Égoutter et réserver.

3 Chauffer l'huile dans une cocotte. Faire roussir les graines de nigelle, le fenouil et les feuilles de curry à feu modéré, sans cesser de remuer.

4 Hors du feu, ajouter le cumin, la coriandre, la poudre de piment, le curcuma, le sel et la poudre de mangue ; mélanger.

5 Remettre la cocotte sur le feu et faire revenir les épices 1 minute environ.

6 Verser cette préparation sur les pommes de terre, et mélanger sans les briser ; laisser cuire environ 5 minutes à feu doux.

7 Disposer les pommes de terre sur les assiettes et servir aussitôt.

CONSEIL

À ce plat succède traditionnellement un dessert à la semoule (voir page 244).

Courgettes aux graines de fenugrec

4 personnes

INGRÉDIENTS

6 cuil. à soupe d'huile
1 oignon moyen, haché fin
3 piments verts, hachés fin
1 cuil. à café de gingembre
  frais haché fin

1 cuil. à café d'ail pressé
1 cuil. à café de poudre
  de piment
500 g de courgettes, émincées
2 tomates, émincées

feuilles de coriandre fraîche
2 cuil. à café de graines
  de fenugrec

1 Faire chauffer l'huile
  dans une grande poêle.

2 Mettre l'oignon,
  les piments verts,
le gingembre, l'ail
et la poudre de piment
dans la poêle ; mélanger.

3 Ajouter les courgettes
  et les tomates,
puis faire revenir
de 5 à 7 minutes.

4 Incorporer la coriandre
  et le fenugrec ;
poursuivre la cuisson
pendant 5 minutes.

5 Ôter du feu et
  transférer les
courgettes au fenugrec sur
les assiettes. Servir aussitôt,
avec des chapatis
(*voir* page 180).

CONSEIL

*Si les graines
et les feuilles de fenugrec
sont comestibles, tige
et racines sont à rejeter
car trop amères.
Le fenugrec frais s'achète
en bottes. Les graines
brun clair et plates
du fenugrec peuvent ici
être remplacées par
des graines de coriandre.*

Curry de courge verte

4 personnes

INGRÉDIENTS

150 ml d'huile	1 cuil. à café d'aamchoor	1 cuil. à café de piment rouge
2 oignons moyens, émincés	(poudre de mangue séchée)	pilé
1/2 cuil. à café de graines	1 cuil. à café de gingembre	1/2 cuil. à café de sel
de cumin blanc	frais haché fin	300 ml d'eau
500 g de courge verte, en dés	1 cuil. à café d'ail pressé	

1 Chauffer l'huile dans une grande sauteuse ; y faire dorer les oignons et le cumin, en remuant de temps en temps.

2 Ajouter les dés de courge et faire revenir 3 à 5 minutes à feu doux.

3 Mélanger la poudre de mangue avec le gingembre, l'ail, le piment et le sel.

4 Ajouter ces épices aux oignons, en mélangeant soigneusement.

5 Mouiller avec l'eau, couvrir et faire cuire 10 à 15 minutes à feu doux, en remuant.

6 Répartir sur les assiettes et présenter avec des pains à la farine de pois chiches (*voir page 176*).

VARIANTE

Les variétés plus courantes de courge (potiron) se prêtent bien à la confection de ce mets.

CONSEIL

Les Indiens affectionnent tout particulièrement le cumin pour son arôme corsé et généreux. Ses graines entières ou moulues sont un des ingrédients incontournables du garam masala.

Marmite aux petits pois

2 à 4 personnes

INGRÉDIENTS

150 ml d'huile
3 oignons moyens, émincés
1 cuil. à café d'ail pressé
1 cuil. à café de gingembre
   frais haché très fin

1 cuil. à café de poudre
   de piment
1/2 cuil. à café de curcuma
1 cuil. à café de sel
2 piments verts, hachés menu

300 ml d'eau
3 pommes de terre moyennes
100 g de petits pois
piments rouges, finement
   hachés, pour décorer

1 Faire chauffer l'huile dans une sauteuse et y faire dorer les oignons, en remuant.

2 Mélanger ail, gingembre, poudre de piment, curcuma, sel et piments verts. Verser dans la sauteuse.

3 Mouiller avec la moitié de l'eau, couvrir et laisser frémir jusqu'à parfaite cuisson des oignons.

4 Pendant ce temps, éplucher et rincer les pommes de terre ; les découper chacune en six morceaux.

5 Mettre les pommes de terre dans la sauteuse et faire revenir 5 minutes.

6 Ajouter les petits pois ainsi que le reste de l'eau, couvrir et prolonger la cuisson 7 à 10 minutes.

7 Transférer sur les assiettes et parsemer de piments rouges hachés avant de servir.

CONSEIL

Le curcuma est une plante aromatique dont le rhizome est séché et pulvérisé, devenant cette poudre jaune orangé très prisée par les cuisiniers indiens. Son parfum généreux cache un goût un peu rance.

Curry de pois chiches

4 personnes

INGRÉDIENTS

6 cuil. à soupe d'huile
2 oignons moyens, émincés
1 cuil. à café de gingembre frais, haché fin
1 cuil. à café de cumin moulu
1 cuil. à café d'ail pressé

1 cuil. à café de coriandre moulue
1 cuil. à café de poudre de piment
2 piments verts frais
feuilles de coriandre fraîche

150 ml d'eau
1 grosse pomme de terre
400 g de pois chiches en boîte, égouttés
1 cuil. à soupe de jus de citron

1 Chauffer l'huile dans une sauteuse.

2 Faire dorer les oignons en remuant de temps en temps.

3 Baisser la flamme et incorporer gingembre, cumin, coriandre moulue, ail, poudre de piment et feuilles de coriandre ; remuer pendant environ 2 minutes.

4 Mouiller avec l'eau et mélanger.

5 Avec un couteau bien affûté, couper la pomme de terre en petits dés.

6 Mettre la pomme de terre et les pois chiches dans la sauteuse, couvrir et cuire de 5 à 7 minutes, en remuant de temps en temps.

7 Arroser le curry avec le jus de citron.

8 Transférer les pois chiches dans les assiettes ; servir aussitôt, avec des chapatis.

CONSEIL

Pour gagner du temps, utilisez des pois chiches en conserve - les légumes secs doivent tremper toute une nuit et bouillir de 15 à 20 minutes pour être tendres.

Curry d'œufs

4 personnes

INGRÉDIENTS

4 cuil. à soupe d'huile	1/2 cuil. à café de poudre	1/2 cuil. à café d'ail pressé
1 oignon moyen émincé	de piment	4 œufs moyens
1 piment rouge frais, finement	1/2 cuil. à café de gingembre	1 tomate ferme en tranches
haché	frais haché fin	feuilles de coriandre fraîche

1 Chauffer l'huile dans une grande sauteuse.

2 Faire dorer et ramollir l'oignon émincé.

3 Ajouter le piment rouge, la poudre de piment, le gingembre et l'ail, puis faire cuire environ 1 minute à feu doux.

4 Ajouter les œufs et les tomates, remuer doucement 3 à 5 minutes afin d'obtenir des œufs brouillés moelleux. Bien mélanger le tout.

5 Parsemer la préparation de feuilles de coriandre.

6 Transférer le curry d'œufs dans les assiettes et déguster sans attendre, avec des paratas (*voir* page 174).

CONSEIL

La cuisine indienne fait grand usage des tiges hachées et des feuilles de la coriandre fraîche, qui possède une saveur particulière et prononcée. Elle est aussi décorative qu'aromatique.

CONSEIL

Les œufs sont riches en protéines, matières grasses, fer et vitamines A, B et D, mais également en cholestérol.

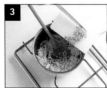

Légumes sautés

4 personnes

INGRÉDIENTS

300 ml d'huile
1 cuil. à café de graines
   de moutarde
1 cuil. à café de graines
   de nigelle
1/2 cuil. à café de graines
   de cumin blanc
3 ou 4 feuilles de curry,
   émiettées
500 g d'oignons, hachés fin

3 tomates moyennes,
   concassées
1/2 poivron rouge et 1/2
   poivron vert, en lanières
1 cuil. à café de gingembre
   frais haché fin
1 cuil. à café d'ail pressé
1 cuil. à café de poudre
   de piment
1/2 cuil. à café de curcuma

1 cuil. à café de sel
400 ml d'eau
2 pommes de terre moyennes,
   épluchées et en cubes
1/2 chou-fleur, en bouquets
4 carottes moyennes, pelées
   et en rondelles
3 piments verts hachés menu
feuilles de coriandre fraîche
1 cuil. à soupe de jus de citron

1 Faire chauffer l'huile dans une sauteuse ; y faire légèrement colorer les graines de moutarde, de nigelle et de cumin blanc avec les feuilles de curry.

2 Ajouter les oignons et les faire dorer à feu modéré.

3 Incorporer les tomates et les poivrons ; faire revenir 5 minutes environ.

4 Ajouter le gingembre, l'ail, la poudre de piment, le curcuma, et le sel puis mélanger soigneusement.

5 Mouiller avec 300 ml d'eau, couvrir et faire cuire de 10 à 12 minutes.

6 Incorporer les pommes de terre, le chou-fleur, les carottes, les piments verts et la coriandre fraîche ; prolonger la cuisson de 5 minutes environ.

7 Verser le reste de l'eau et le jus de citron, tout en remuant. Couvrir et laisser mijoter 15 minutes environ, en remuant de temps en temps.

8 Répartir les légumes dans les assiettes et servir sans attendre.

Curry au chou-fleur

4 personnes

INGRÉDIENTS

150 ml d'huile
1/2 cuil. à café de graines
de cumin noir
4 piments rouges séchés
2 oignons moyens, émincés
1 cuil. à café d'ail pressé

1 cuil. à café de gingembre
frais haché fin
1 cuil. à café de poudre
de piment
1 cuil. à café de sel
1 pincée de curcuma

3 pommes de terre moyennes,
épluchées et en dés
1/2 chou-fleur en bouquets
2 piments verts (facultatif)
coriandre fraîche
150 ml d'eau

1 Chauffer l'huile dans une grande casserole.

2 Ajouter les graines de cumin et les piments séchés ; remuer.

3 Mettre les oignons dans la casserole et les faire dorer, en remuant de temps en temps.

4 Dans une terrine, mélanger la poudre de piment, le sel et le curcuma puis verser la préparation sur les oignons. Faire revenir 2 minutes environ.

5 Ajouter les pommes de terre et le chou-fleur ; mélanger soigneusement afin de bien enrober les légumes d'épices.

6 Baisser le feu avant d'incorporer les piments verts, les feuilles de coriandre et l'eau. Couvrir et laisser frémir de 10 à 15 minutes.

7 Répartir le curry sur des assiettes chaudes et servir sans attendre.

CONSEIL

Il faut prendre des précautions pour manipuler les piments, dont le suc est agressif. Les gants de cuisine offriront une bonne protection, sinon il convient de se laver les mains et d'éviter tout contact avec les yeux : l'irritation oculaire est très douloureuse.

Gombos aux oignons séchés

4 personnes

INGRÉDIENTS

500 g de gombos	2 cuil. à café d'aamchoor	1 cuil. à café de poudre
150 ml d'huile	(poudre de mangue séchée)	de piment
100 g d'oignons séchés	1 cuil. à café de cumin moulu	1 cuil. à café de sel

1 Couper et jeter l'extrémité des gombos, puis fendre chaque gombo dans le sens de la longueur sans cependant le partager en deux.

2 Chauffer l'huile dans une grande sauteuse ; y frire les oignons jusqu'à ce qu'ils soient croustillants.

3 Retirer les oignons à l'écumoire et les laisser égoutter sur du papier absorbant.

4 Lorsque les oignons ont suffisamment refroidi, les effriter grossièrement à la main puis les mettre dans une terrine.

5 Ajouter la poudre de mangue séchée, le cumin moulu, la poudre de piment et mélanger avec soin.

6 Avec une cuillère, déposer un peu de cette préparation sur chaque gombo fendu.

7 Réchauffer l'huile de friture ; déposer délicatement les gombos dans la sauteuse et cuire 10 à 12 minutes à feu doux.

8 Dresser les gombos sur les assiettes et servir aussitôt.

CONSEIL

Le cumin moulu, de saveur puissante et chaleureuse, est l'une des épices de base de la cuisine indienne. Gardez-en toujours dans votre placard.

Curry de tomates

4 personnes

INGRÉDIENTS

400 g de tomates en boîte
1 cuil. à café de gingembre frais haché fin
1 cuil. à café d'ail frais pressé
1 cuil. à café de poudre de piment
1 cuil. à café de sel

1/2 cuil. à café de coriandre moulue
1/2 cuil. à café de cumin moulu
1/2 cuil. à café de chaque : graines de nigelle, de moutarde et de fenugrec

4 cuil. à soupe d'huile
1 pincée de graines de cumin blanc
3 piments rouges séchés
2 cuil. à soupe de jus de citron
3 œufs durs
feuilles de coriandre fraîche

1 Mettre les tomates dans un grand saladier.

2 Incorporer gingembre, ail, poudre de piment, sel, coriandre et cumin.

3 Chauffer l'huile dans une casserole ; y faire griller 1 minute les piments séchés avec les graines de nigelle, de moutarde, de fenugrec et de cumin blanc. Retirer du feu.

4 Verser les tomates dans la sauteuse et remettre sur le feu. Cuire 3 minutes à feu vif, puis baisser le feu et couvrir en laissant entrouvert ; poursuivre la cuisson 7 à 10 minutes, en remuant de temps en temps.

5 Arroser le tout de jus de citron.

6 Transvaser dans le plat de service et réserver.

7 Écaler et partager les œufs durs en deux, et les déposer délicatement, côté jaune en dessous, sur le curry de tomates.

8 Parsemer de feuilles de coriandre et servir chaud.

CONSEIL

*On peut préparer
ce curry
à l'avance
et le congeler.*

Graines & pains

Les pains les plus courants, chapatis, paratas et pooris, sont très sains lorsqu'ils sont confectionnés avec de la farine complète. Ces pains étant de format individuel, je vous suggère d'en proposer deux par convive.

En Inde, le riz est servi à presque tous les repas ; c'est sans doute pour cette raison qu'il existe autant de façons de le préparer. Mais quel que soit le mets, les grains sont toujours bien détachés et un peu croquants. Je vous recommande d'utiliser du riz basmati, idéal pour ce type de cuisson. Il est préférable de le laisser tremper de 20 à 30 minutes avant cuisson (les grains ne s'agglutineront pas). Comptez environ 75 g de riz par personne.

Il existe au moins trente variétés de légumes secs, dont les plus courants sont le moong, le masoor, le chana et l'urid. Si les légumes secs sont parfaits pour accompagner un curry végétarien, ils sont aussi délicieux avec un plat de viande. Avant cuisson, rincez au moins deux fois les graines ; si vous en avez la possibilité, faites-les tremper trois heures (le temps de cuisson en sera considérablement réduit).

Dhaal au citron

4 personnes

INGRÉDIENTS

100 g de masoor dhaal
(lentilles corail cassées)
1 cuil. à café de gingembre
frais haché très fin
1 cuil. à café d'ail pressé
1 cuil. à café de poudre
de piment

1/2 cuil. à café de curcuma
1/2 l d'eau
1 cuil. à café de sel
3 cuil. à soupe de jus de citron
2 piments verts
feuilles de coriandre fraîche

BAGHAAR
150 ml d'huile
4 gousses d'ail non épluchées
6 piments rouges séchés
1 cuil. à café de graines
de cumin

1 Rincer le masoor dhaal et le mettre dans une grande casserole.

2 Ajouter le gingembre, l'ail, la poudre de piment et le curcuma. Mouiller avec 300 ml d'eau et porter à ébullition sur feu moyen, couvercle entrouvert, jusqu'à ce que le dhaal ramollisse.

3 Écraser le dhaal ; incorporer le sel, le jus de citron et 150 ml d'eau, et mélanger cette préparation qui doit être de texture assez molle.

4 Ajouter les piments verts et la coriandre ; réserver.

5 Confection du baghaar : chauffer l'huile dans une poêle ; y faire griller l'ail, les piments rouges et les graines de cumin 1 minute environ. Éteindre le feu et laisser un peu tiédir le baghaar avant de le verser sur le dhaal. Si le dhaal est trop liquide, laisser cuire à découvert de 3 à 5 minutes supplémentaires.

6 Transférer dans un plat et servir chaud.

CONSEIL

Ce mets accompagne délicieusement le bœuf khorma aux amandes (voir page 50).

Graines blanches

2 à 4 personnes

INGRÉDIENTS

100 g d'urid dhaal
  (haricots à chair blanche)
1 cuil. à café de racine
  de gingembre, hachée
600 ml d'eau

1 cuil. à café de sel
1 cuil. à café de poivre
2 cuil. à soupe de ghee
  (*voir* page 154) ou de ghee
  végétal (*voir* page 250)

2 gousses d'ail, épluchées
2 piments verts, hachés menu
feuilles de menthe fraîche

1 Rincer deux fois les haricots, en ôtant d'éventuelles impuretés.

2 Mettre les haricots et le gingembre dans une cocotte.

3 Ajouter l'eau, couvrir et porter à ébullition sur feu modéré. Au bout de 30 minutes, vérifier la cuisson des graines en les roulant entre le pouce et l'index : les cuire de 5 à 7 minutes supplémentaires si elles semblent trop dures.

Découvrir si nécessaire, jusqu'à complète évaporation du liquide.

4 Incorporer le sel et le poivre grossièrement concassé. Réserver.

5 Dans une seconde casserole, chauffer le ghee et y mélanger les gousses d'ail et les piments rouges.

6 Verser la préparation sur les graines et parsemer de feuilles de menthe.

7 Répartir sur les assiettes et servir chaud, avec des chapatis (voir page 180).

CONSEIL

L'urid dhaal, apprécié dans le Nord de l'Inde, se trouve au rayon « produits exotiques » des grandes surfaces, sous l'appellation de « lentilles ».

Dhaal aux oignons

4 personnes

INGRÉDIENTS

100 g de masoor dhaal
(lentilles corail cassées)
6 cuil. à soupe d'huile
1 petite botte d'oignons
nouveaux, nettoyés
et émincés

1 cuil. à café de gingembre
frais haché fin
1 cuil. à café d'ail frais pressé
1/2 cuil. à café de poudre
de piment
1/2 cuil. à café de curcuma

300 ml d'eau
1 cuil. à café de sel
1 piment vert, haché très fin
feuilles de coriandre fraîche

1 Rincer les lentilles
et réserver.

2 Chauffer l'huile dans
une sauteuse et y faire
dorer les oignons, sans
cesser de remuer.

3 Réduire le feu et
ajouter le gingembre,
l'ail, la poudre de piment
et le curcuma. Remettre
à feu vif et bien mélanger.

4 Incorporer les lentilles
et mélanger de
nouveau.

5 Mouiller avec l'eau
et faire cuire à feu
modéré de 20 à 25 minutes.

6 Lorsque les lentilles
sont parfaitement
cuites, saler et remuer
délicatement avec une
cuillère en bois.

7 Garnir avec le hachis
de piments verts et
la coriandre. Transférer
les lentilles sur un plat
et servir sans attendre.

CONSEIL

*Ces lentilles rondes
et cassées, de couleur orange
clair, deviennent jaune pâle
après cuisson.*

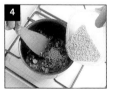

Purée de lentilles

4 personnes

INGRÉDIENTS

75 g de masoor dhaal (lentilles corail cassées)	1 cuil. à café de rhizome de gingembre haché	TARKA (BAGHAAR) 2 cuil. à soupe de ghee
50 g de moong dhaal (pois cassés jaunes)	1 cuil. à café d'ail, pressé	(*voir* page 154)
1/2 l d'eau	2 piments rouges, hachés	1 oignon moyen, émincé
	1 cuil. à café de sel	graines de moutarde, de nigelle

1 Rincer les graines, en ôtant d'éventuelles impuretés.

2 Mettre les graines dans une sauteuse et verser l'eau graduellement, en remuant. Ajouter hachis de piment, gingembre et ail, et porter à ébullition à feu moyen, à demi couvert pendant 15 à 20 minutes jusqu'à ce que les graines soient assez molles pour être réduites en purée.

3 Écraser les graines, en ajoutant un peu d'eau

si nécessaire, pour obtenir une sauce épaisse.

4 Saler et mélanger. Verser la préparation dans le plat de service.

5 Juste avant de servir, faire fondre le ghee dans une petite casserole. Y faire dorer l'oignon émincé, puis ajouter les graines de nigelle et de moutarde.

6 Verser les oignons sur le dhaal et déguster sans attendre.

CONSEIL

Cette recette constitue un bon plat d'accompagnement, particulièrement pour les currys un peu secs. Il est possible de congeler ce mets et de le réchauffer dans une casserole, ou au four, à couvert.

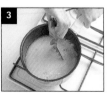

Cornilles aux épices

4 personnes

INGRÉDIENTS

150 g de cornilles (haricots
   doliques à œil noir)
300 ml d'huile
2 oignons moyens, émincés
1 cuil. à café de gingembre
   frais haché fin

1 cuil. à café d'ail frais pressé
1 cuil. à café de poudre
   de piment
1 bonne cuil. à café de sel
1 bonne cuil. à café
   de coriandre moulue

1 cuil. à café 1/2 de cumin
   moulu
150 ml d'eau
2 piments rouges, émincés
feuilles de coriandre fraîche
1 cuil. à soupe de jus de citron

1 Rincer les cornilles
et les laisser tremper
une nuit.

2 Mettre les cornilles
dans une casserole
d'eau, porter à ébullition et
laisser sur feu doux
30 minutes environ.
Égoutter soigneusement
et réserver.

3 Chauffer l'huile dans
une sauteuse et y faire
dorer les oignons. Ajouter

le gingembre, l'ail, la poudre
de piment, le sel, le cumin
et la coriandre. Faire revenir
de 3 à 5 minutes.

4 Mouiller avec l'eau,
couvrir et attendre
que l'eau soit entièrement
évaporée.

5 Ajouter les cornilles,
les piments émincés
et la coriandre fraîche dans
la sauteuse. Faire revenir
de 3 à 5 minutes.

6 Transférer les cornilles
dans un plat et arroser
avec le jus de citron.
Ce mets se déguste chaud
ou froid.

CONSEIL

*Ces haricots secs, ovales et
de couleur beige à grise se
distinguent par une tache
noire en leur milieu. Leur
saveur est légèrement fumée.
Ils sont commercialisés secs
ou en conserve.*

Moong dhaal

4 personnes

INGRÉDIENTS

150 g de moong dhaal
(pois cassés jaunes)
1 cuil. à café de gingembre
frais haché très fin
1/2 cuil. à café de cumin
moulu

1/2 cuil. à café de coriandre
moulue
1 cuil. à café d'ail pressé
1/2 cuil. à café de poudre
de piment
600 ml d'eau

BAGHAAR :
100 g de beurre non salé
5 piments rouges séchés
1 cuil. à café de graines
de cumin

1 Rincer les pois, en retirant les éventuelles impuretés.

2 Mettre les pois cassés dans une sauteuse. Ajouter le gingembre, le cumin moulu, la coriandre moulue, l'ail et la poudre de piment ; mélanger.

3 Couvrir les pois avec l'eau. Cuire à feu modéré en veillant à ce que les pois soient tendres mais non réduits en bouillie.

4 Saler, mélanger et transférer sur le plat de service. Réserver au chaud.

5 Pour confectionner le baghaar, faire fondre le beurre dans une casserole, ajouter les piments séchés et les graines de cumin ; les griller jusqu'à ce qu'elles commencent à éclater.

6 Verser le baghaar sur les pois cassés ; servir chaud, avec des chapatis et un curry de viande ou un curry végétarien.

CONSEIL

Les piments rouges séchés sont un moyen « d'embraser » n'importe quel plat.

CONSEIL

Les pois cassés moong dhaal jaunes, en forme de goutte d'eau, sont très prisés dans le Nord de l'Inde.

Chana dhaal aux épinards

4 à 6 personnes

INGRÉDIENTS

4 cuil. à soupe de chana dhaal (pois cassés blonds)
6 cuil. à soupe d'huile
1 cuil. à café de graines de nigelle et de moutarde

400 à 450 g d'épinards cuits
1 cuil. à café de rhizome de gingembre frais haché fin
2 cuil. à café de coriandre et de cumin moulu

4 piments rouges séchés
1 cuil. à café de poudre de piment
2 cuil. à soupe de jus de citron

1 Faire tremper les pois au moins 3 heures (ou si possible toute une nuit) dans un bol d'eau tiède.

2 Égoutter les pois et les mettre dans une casserole ; les couvrir d'eau, porter à ébullition et laisser cuire 30 minutes.

3 Chauffer l'huile dans une casserole ; y faire brunir graines de nigelle et de moutarde et piments séchés, en remuant.

4 Ajouter les épinards égouttés et mélanger délicatement.

5 Incorporer le cumin, le gingembre, le sel, la coriandre et la poudre de piment aux épinards. Réduire le feu et faire sauter le mélange de 7 à 10 minutes.

6 Ajouter les pois cassés aux autres ingrédients et mélanger délicatement pour ne pas les briser.

7 Transférer le tout sur le plat de service ; arroser de jus de citron et garnir d'un piment vert. Déguster sans attendre.

CONSEIL

Le chana dhaal ressemble au moong dhaal (pois cassés jaunes) mais ses graines sont moins brillantes. On l'utilise essentiellement comme liant ; ce pois cassé blond se trouve chez les épiciers indiens ou pakistanais.

Dhaal aux boulettes

6 à 8 personnes

INGRÉDIENTS

200 g de masoor dhaal
(lentilles corail)
1 cuil. à café de rhizome
de gingembre frais, haché
1 cuil. à café d'ail pressé
1/2 cuil. à café de curcuma
1 cuil. à café 1/2 de poudre
de piment

1 cuil. à café 1/2 de sel
3 cuil. à soupe de jus de citron
850 ml d'eau

BAGHAAR :
150 ml d'huile
3 gousses d'ail
4 piments rouges séchés

1 cuil. à café de graines
de cumin blanc

CHIPS DE POMMES DE TERRE :
2 pommes de terre moyennes,
émincées très finement
300 ml d'huile

1 Rincer les lentilles et les débarrasser des impuretés ; les mettre dans une casserole et couvrir de 600 ml d'eau. Incorporer le gingembre, l'ail, le curcuma et la poudre de piment ; laisser bouillir pour attendrir les lentilles. Saler et mélanger.

2 Écraser les lentilles et les tasser dans un tamis ; réserver le liquide et lui ajouter le jus de citron.

3 Verser 300 ml d'eau dans le liquide réservé et porter à ébullition à feu modéré. Réserver.

4 Pour confectionner les boulettes de viande, suivre la recette décrite page 46, en substituant le liquide de cuisson à l'eau. Façonner de petites boulettes rondes plutôt que des kebabs aplatis. Poser délicatement les boulettes sur la purée de lentilles.

5 Pour faire le baghaar, chauffer l'huile dans une poêle, y faire frire l'ail, les piments séchés et les graines de cumin pendant 2 minutes. Verser sur les lentilles.

6 Pour faire les chips, frotter les tranches de pommes de terre avec du sel et les frire jusqu'à ce qu'elles croustillent. Parsemer les chips sur les boulettes et servir aussitôt.

Dhaal au riz doré

4 personnes

INGRÉDIENTS

200 g de riz basmati
2 cuil. à soupe de ghee ou de
  ghee végétal (*voir* page 250)
175 g de masoor dhaal

1 petit oignon, émincé
1 cuil. à café de rhizome
  de gingembre frais haché
  fin

1 cuil. à café d'ail pressé
1/2 cuil. à café de curcuma
600 ml d'eau
1 cuil. à café de sel

1 Mélanger le riz et les lentilles et rincer deux fois, en frottant entre les doigts pour éliminer les impuretés. Réserver.

2 Chauffer le ghee dans une sauteuse ; y faire revenir l'oignon 2 minutes.

3 Sur feu doux, ajouter le gingembre, l'ail et le curcuma ; prolonger la cuisson d'une minute.

4 Mettre le riz et les lentilles dans la sauteuse et remuer délicatement.

5 Mouiller avec l'eau et porter à ébullition. Réduire le feu et cuire à couvert de 20 à 25 minutes.

6 Après cuisson, saler et mélanger soigneusement le tout.

7 Transférer le riz et les lentilles sur le plat de service et déguster aussitôt.

VARIANTE

Cette recette se prépare aussi avec du moong dhaal (pois cassés jaunes).

CONSEIL

De nombreuses recettes préconisent l'emploi de ghee comme matière grasse. Le ghee est un beurre clarifié qui ne brûle pas à haute température et confère aux mets un arôme de noisette et rend les sauces plus brillantes. On trouve du ghee en boîte, tout comme sa version végétarienne. Il se conserve à température ambiante ou au réfrigérateur.

Chana dhaal au riz safrané

6 personnes

INGRÉDIENTS

100 g de chana dhaal
(pois cassés blonds)
500 g de riz basmati
4 cuil. à soupe de ghee
(*voir* page 154)
2 oignons moyens, finement
émincés
1 cuil. à café d'ail frais pressé

1 cuil. à café de gingembre
frais haché fin
1/2 cuil. à café de curcuma
2 cuil. à café de sel
1/2 cuil. à café de poudre
de piment
1 cuil. à café de garam masala
5 cuil. à soupe de yaourt

1,5 l d'eau environ
150 ml de lait
1 cuil. à café de safran
3 cuil. à soupe de jus de citron
2 piments verts, en lanières
feuilles de coriandre ciselées
3 capsules de cardamome noire
3 graines de cumin noir

1 Rincer et laisser tremper le chana dhaal durant 3 heures. Rincer le riz en le débarrassant des impuretés. Réserver.

2 Chauffer le ghee dans une sauteuse et y faire dorer l'oignon. Prélever la moitié des oignons et un peu de ghee avec une écumoire, et réserver.

3 Mettre le gingembre, l'ail, le curcuma,

1 cuil. à café de sel, la poudre de piment et le garam masala dans la sauteuse, et faire revenir 5 minutes. Verser le yaourt, ajouter le chana dhaal et 150 ml d'eau. Laisser cuire 15 minutes à couvert.

4 Pendant ce temps, faire bouillir le lait avec le safran puis ajouter l'oignon réservé, le jus de citron, les piments verts et la coriandre ciselée.

5 Faire bouillir le reste de l'eau et ajouter sel, cardamome, cumin et riz ; mélanger jusqu'à mi-cuisson. Égoutter et répartir la moitié de la préparation safranée sur le chana dhaal. Mettre le riz par-dessus et verser le reste de la préparation. Couvrir hermétiquement et laisser étuver 20 minutes à feu très doux. Mélanger avec une spatule perforée juste avant de servir.

Riz pilaf

2 à 4 personnes

INGRÉDIENTS

200 g de riz basmati
2 cuil. à soupe de ghee
 (*voir* page 154)

3 graines de cardamome verte
2 clous de girofle
3 grains de poivre

1/2 cuil. à café de sel
1/2 cuil. à café de safran
400 ml d'eau

1 Rincer deux fois le riz puis réserver.

2 Chauffer le ghee dans une casserole ; faire revenir la cardamome, les clous de girofle et le poivre, pendant 1 minute environ.

3 Ajouter le riz et prolonger la cuisson de 2 minutes, en remuant.

4 Ajouter le sel, le safran et l'eau ; couvrir et cuire à feu doux jusqu'à complète évaporation de l'eau.

5 Transférer le riz sur un plat et servir chaud.

CONSEIL

N'abusez pas du clou de girofle : sa saveur puissante risque de masquer celle des autres ingrédients.

CONSEIL

Le safran, fait de stigmates séchés de crocus mauve, est l'épice la plus onéreuse. Il confère aux aliments une teinte dorée, une saveur particulière et un soupçon d'amertume. Le safran s'achète en poudre ou en stigmates, ces derniers étant plus chers mais plus parfumés. Certains livres culinaires recommandent de le remplacer par du curcuma, de couleur comparable mais de goût fort différent.

Riz sauté aux épices

4 à 6 personnes

INGRÉDIENTS

450 g de riz long
1 oignon moyen, coupé
en fines rondelles
2 cuil. à soupe de ghee
(*voir* page 154)

1 cuil. à café de gingembre
frais haché fin
1 cuil. à café d'ail pressé
1 cuil. à café de sel
3 clous de girofle

1 cuil. à café de graines
de cumin noir
3 capsules de cardamome verte
2 bâtonnets de cannelle
4 grains de poivre

1 Rincer le riz et le débarrasser de toute impureté.

2 Chauffer le ghee dans une grande sauteuse et y faire rissoler l'oignon.

3 Ajouter le gingembre, l'ail et le sel ; mélanger soigneusement.

4 Retirer la moitié des oignons épicés et réserver.

5 Mettre le riz, le cumin, les clous de girofle, la cannelle et le poivre dans la sauteuse ; faire revenir de 3 à 5 minutes.

6 Mouiller avec 750 ml d'eau et porter à ébullition. Couvrir et laisser cuire à feu doux jusqu'à ce que la vapeur s'échappe ; vérifier alors la cuisson du riz.

7 Verser le riz épicé dans un plat et garnir avec le reste des oignons.

CONSEIL

Une capsule de cardamome renferme de minuscules graines noires, de saveur et d'arôme vigoureux. La cardamome verte est très appréciée pour son goût délicat et ses propriétés digestives. En Inde, il est courant de mâcher des graines de cardamome après avoir mangé un curry très épicé, pour parfumer l'haleine et faciliter la digestion.

Pilaf végétarien

4 à 6 personnes

INGRÉDIENTS

2 pommes de terre moyennes,
épluchées et coupées
en 6 morceaux
1 aubergine moyenne,
coupée en 6
200 g de carottes, épluchées
et coupées en bâtonnets
50 g de haricots verts, coupés
en morceaux
2 oignons moyens, émincés

4 cuil. à soupe de ghee
(*voir* page 154)
175 ml de yaourt nature
2 cuil. à café de gingembre,
haché fin
2 cuil. à café d'ail pressé
2 cuil. à café de garam masala
2 cuil. à café de graines
de cumin noir
1/2 cuil. à café de curcuma

3 cardamomes noires
3 bâtonnets de cannelle
2 cuil. à café de sel
1/2 cuil. à café de stigmates
de safran
300 ml de lait
600 g de riz basmati
5 cuil. à soupe de jus de citron

1 Chauffer le ghee dans une poêle ; y faire revenir les pommes de terre, l'aubergine, les carottes et les haricots. Réserver. Faire ramollir les oignons et ajouter le yaourt, le gingembre, l'ail, le garam masala, le curcuma, la poudre de piment, la moitié du sel et du cumin, 1 cardamome et 1 bâtonnet de cannelle ;

cuire de 3 à 5 minutes en remuant. Remettre les légumes dans la poêle et faire revenir 4 ou 5 minutes.

2 Faire bouillir le lait avec le safran, sans cesser de remuer. Dans une casserole d'eau bouillante, faire cuire le riz avec le reste du sel et des épices. Égoutter à

mi-cuisson. Remettre la moitié du riz dans la casserole et le recouvrir avec les légumes. Arroser de la moitié du jus de citron et du lait safrané, puis couvrir avec le reste de riz, de jus de citron et de lait. Couvrir et cuire 20 minutes à feu doux. Servir sans attendre.

Riz complet aux fruits secs

4 à 6 personnes

INGRÉDIENTS

4 cuil. à soupe de ghee (*voir* page 154) ou d'huile

1 gros oignon, haché

1 cm de rhizome de gingembre, haché fin

1 cuil. à café de poudre de piment

1 cuil. à café de graines de cumin

1 cuil. à soupe de pâte ou de poudre de curry

2 gousses d'ail, pressées

300 g de riz complet

1 l de bouillon de légumes, bouillant

400 g de tomates en boîte, concassées

100 g de petits pois surgelés

200 g de pêches ou d'abricots secs, émincés en lanières

1 poivron rouge épépiné et émincé en dés

1 ou 2 petites bananes encore un peu vertes

de 60 à 100 g de noix variées grillées

sel et poivre

1 Chauffer le ghee ou l'huile dans une sauteuse ; y faire blondir les oignons 3 minutes.

2 Ajouter ail, gingembre, poudre de piment, curry, cumin et riz. Mélanger 2 minutes à feu doux, afin de bien enrober le riz d'huile épicée.

3 Mouiller avec le bouillon brûlant et mélanger. Ajouter les tomates, le poivre et le sel. Porter à ébullition puis réduire la flamme, couvrir et laisser frémir 40 minutes, ou jusqu'à absorption presque complète du liquide de cuisson.

4 Incorporer les abricots, le poivron et les petits pois. Couvrir et prolonger la cuisson de 10 minutes.

5 Éteindre le feu et laisser reposer 5 minutes à couvert.

6 Peler et émincer les bananes. Mélanger le riz avec une fourchette. Incorporer délicatement les noix grillées et les bananes.

7 Disposer sur le plat de service et déguster aussitôt.

Pilaf de crevettes

4 personnes

INGRÉDIENTS

500 g de crevettes surgelées, décortiquées
1/2 cuil. à café de safran
150 ml de lait
1 cuil. à café de poudre de piment
2 bâtonnets de cannelle

1 cuil. à café 1/2 de graines de carvi
2 capsules de cardamome verte
2 oignons moyens, émincés
2 feuilles de laurier
1 cuil. à café de gingembre

frais haché
1 cuil. à café de sel
500 g de riz basmati
5 cuil. à soupe de ghee (*voir* page 154)
4 cuil. à soupe de jus de citron
feuilles de menthe fraîches

1 Faire décongeler les crevettes dans un bol d'eau froide.

2 Faire bouillir le lait avec le safran et réserver.

3 Dans un mortier, piler un des deux oignons avec le carvi, la cannelle, la cardamome, le laurier, le gingembre et le sel pour obtenir une pommade. Réserver.

4 Verser le riz dans une casserole d'eau bouillante et retirer du feu à mi-cuisson.

5 Chauffer le ghee dans une sauteuse ; y faire dorer le deuxième oignon. Transférer l'oignon dans une terrine et le mélanger avec le jus de citron et quelques feuilles de menthe.

6 Mettre les crevettes et la pommade épicée dans la sauteuse et faire revenir 5 minutes. Réserver.

7 Verser la moitié du riz à demi cuit dans une cocotte puis couvrir avec la préparation aux crevettes, les oignons et le lait au safran. Déposer le reste du riz sur le dessus, verser le reste des ingrédients sur le riz, ajouter quelques feuilles de menthe, couvrir et laisser étuver de 15 à 20 minutes à feu très doux. Mélanger soigneusement avant de présenter le pilaf dans le plat de service.

Poulet biryani

6 personnes

INGRÉDIENTS

1 cuil. à café de gingembre frais haché très fin

1 cuil. à café d'ail pressé

1 cuil. à soupe de garam masala

1 cuil. à café de poudre de piment

1/2 cuil. à café de curcuma

2 cuil. à café de sel

20 graines de cardamomes blanches, vertes, concassées

2 yaourts nature

1 poulet de 1,5 kg, sans peau et coupé en 8 morceaux

150 ml de lait

1/2 cuil. à café de stigmates de safran

6 cuil. à soupe de ghee

2 oignons moyens, émincés

500 g de riz basmati

1 cuil. à café de graines de cumin noir

2 bâtonnets de cannelle

4 grains de poivre noir

4 piments verts

feuilles de coriandre ciselées

4 cuil. à soupe de jus de citron

1 Mélanger l'ail, le gingembre, la poudre de piment, le curcuma, la cardamome et la moitié du sel avec le yaourt et le poulet. Laisser mariner 3 heures.

2 Faire bouillir le lait et le verser sur le safran.

3 Chauffer le ghee dans une sauteuse et y faire dorer les oignons. Prélever la moitié des oignons et du ghee ; réserver.

4 Mettre le riz dans une casserole avec deux fois son volume d'eau. Ajouter cumin, cannelle et poivre puis faire bouillir jusqu'à mi-cuisson. Égoutter, transférer dans une jatte et mélanger avec le reste du sel.

5 Hacher très finement les piments verts.

6 Mettre le poulet dans la sauteuse avec la moitié des piments verts, la coriandre, le lait safrané et le jus de citron. Ajouter le riz, le reste des ingrédients, puis les oignons et le ghee réservés. Couvrir hermétiquement et cuire 1 heure environ à feu doux. Prolonger la cuisson de 15 minutes si le poulet ne semble pas assez cuit. Servir aussitôt.

Riz à la tomate

4 personnes

INGRÉDIENTS

150 ml d'huile
2 oignons moyens, émincés
1 cuil. à café de graines
 de nigelle
1 cuil. à café de gingembre
 frais haché fint

1 cuil. à café d'ail frais pressé
1/2 cuil. à café de curcuma
1 cuil. à café de poudre
 de piment
1 cuil. à café 1/2 de sel
400 g de tomates en boîte

400 g de riz basmati
600 ml d'eau
3 piments verts, finement
 hachés, en garniture

1 Chauffer l'huile dans une sauteuse et y faire dorer les oignons.

2 Ajouter nigelle, ail, gingembre, curcuma, poudre de piment et le sel, en mélangeant avec soin.

3 Réduire la flamme verser les tomates ; faire revenir 10 minutes.

4 Ajouter le riz et remuer pour bien l'enrober d'épices.

5 Mouiller avec l'eau, remuer et couvrir. Laisser cuire à feu doux jusqu'à absorption de l'eau et parfaite cuisson.

6 Verser le riz aux tomates dans le plat de service.

7 Parsemer de piments verts hachés et servir aussitôt.

CONSEIL

*En Inde,
les graines de nigelle
s'utilisent toujours
entières, pour agrémenter
les pickles (variantes)
ou relever et décorer
les pains naans
(voir page 178).*

Agneau biryani

4 à 6 personnes

INGRÉDIENTS

150 ml de lait
1 cuil. à café de safran
5 cuil. à soupe de ghee
   (*voir* page 154)
3 oignons moyens, émincés
1 kg de viande d'agneau,
   dégraissée et en cubes
7 cuil. à soupe de yaourt

1 bonne cuil. à café de
   rhizome de gingembre
   haché fin
1 bonne cuil. à café d'ail frais
   pressé
2 cuil. à café de garam masala
2 cuil. à café de sel
1 pincée de curcuma

600 ml d'eau
450 g de riz basmati
2 cuil. à café de graines
   de cumin noir
3 capsules de cardamome
4 cuil. à soupe de jus de citron
4 piments verts frais
1 petit bouquet de coriandre

1 Faire bouillir le lait avec le safran, réserver. Chauffer le ghee dans une sauteuse et y faire dorer les oignons. Prélever la moitié des oignons et du ghee, réserver.

2 Dans une terrine, mélanger la viande avec le yaourt, l'ail, le garam masala, le curcuma, le gingembre, et du sel.

3 Remettre la sauteuse sur le feu, ajouter la viande et remuer 3 minutes. Mouiller avec l'eau et laisser mijoter 45 minutes à feu doux, en remuant de temps en temps. Si la viande n'est pas suffisamment tendre, ajouter 150 ml d'eau et prolonger la cuisson de 15 minutes. Après évaporation, faire revenir 2 minutes à feu vif et réserver.

4 Mettre le riz dans une cocotte avec le cumin, la cardamome, le sel et couvrir d'eau. Faire cuire à feu moyen jusqu'à mi-cuisson du riz. Égoutter et prélever la moitié du riz.

5 Déposer la viande sur le riz restant. Ajouter la moitié du lait au safran, des piments, du jus de citron et de la coriandre. Compléter avec les oignons, et le reste du riz et des autres ingrédients. Couvrir et cuire de 15 à 20 minutes à feu doux. Servir très chaud.

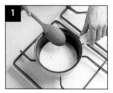

Paratas aux légumes

Pour 4 à 6 paratas

INGRÉDIENTS

PÂTE
225 g de farine complète ou
   de farine ata pour chapatis
1/2 cuil. à café de sel
100 g de ghee (*voir* page 154)
   ou de ghee végétal
   (*voir* page 250)

200 ml d'eau
6 cuil. à soupe de ghee, pour
   badigeonner et la cuisson

FARCE
3 pommes de terre moyennes
1/2 cuil. à café de curcuma

1 cuil. à café de garam masala
1 cuil. à café de gingembre
   frais haché fin
feuilles de coriandre fraîche
3 piments verts
1 cuil. à café de sel

1 Dans une terrine, mélanger farine, sel, eau et ghee jusqu'à obtention d'une pâte.

2 Diviser la pâte en 6 à 8 portions. Abaisser chaque portion au rouleau sur le plan de travail fariné. Badigeonner le centre des galettes avec 1/2 cuil. à café de ghee. Plier chaque galette en deux, la rouler sur elle-même, l'aplatir avec la paume des mains et l'enrouler autour d'un doigt. L'abaisser de nouveau sur la surface farinée, afin d'obtenir une galette de 15 à 20 cm de diamètre.

3 Mettre les pommes de terre dans une casserole d'eau et les cuire assez longtemps pour pouvoir les réduire en purée.

4 Dans une jatte, mélanger curcuma, garam masala, gingembre, coriandre, piments et sel.

5 Incorporer ces épices aux pommes de terre et mélanger avec soin. Étalez 1 cuil. à soupe de purée épicée sur chaque galette de pâte avant de lui superposer une seconde galette. Souder les bords du mieux possible.

6 Chauffer 2 cuil. à café de ghee dans une poêle à fond épais. Faire dorer les paratas un à un en les manipulant délicatement avec une spatule. Servir sans attendre.

Pains au besan

Pour 4 à 6 pains

INGRÉDIENTS

100 g de farine complète
ou de farine ata pour
chapatis
75 g de farine de pois chiches
(besan)

1/2 cuil. à café de sel
feuilles de coriandre fraîche,
hachées très fin
2 piments verts, hachés
très fin

1 petit oignon
150 ml d'eau
2 cuil. à café de ghee
(*voir* page 154)

1 Tamiser les deux farines dans une grande terrine. Saler et mélanger.

2 Émincer l'oignon très finement.

3 Incorporer l'oignon, la coriandre et les piments.

4 Mouiller avec l'eau et travailler pour obtenir une pâte lisse. Laisser reposer 15 minutes.

5 Pétrir la pâte de 5 à 7 minutes.

6 Diviser la pâte en 8 boules égales.

7 Abaisser chaque boule au rouleau sur une surface légèrement farinée, pour confectionner 8 galettes de 15 à 20 cm de diamètre.

8 Faire cuire les galettes une par une à la poêle, sur feu moyen : les retourner trois fois en les badigeonnant légèrement de ghee. Poser les pains sur un plat et servir aussitôt.

CONSEIL

La farine de pois chiches (besan) sert à confectionner du pain, des beignets (bhajias, ou pakoras) et autres pâtes à frire, à lier les sauces et à stabiliser le yaourt dans certains plats chauds. Achetez cette farine dans les épiceries asiatiques ou les magasins de produits diététiques et conservez-la dans un bocal hermétique, à l'abri de la lumière et de la chaleur.

Naans

Pour 6 à 8 naans

INGRÉDIENTS

1 cuil. à café de sucre
1 cuil. à café de levure fraîche
150 ml d'eau tiède
200 g de farine de froment

1 cuil. à soupe de ghee
   (*voir* page 154)
1 cuil. à café de sel
50 g de beurre

1 cuil. à café de graines
   de pavot

1 Dans un bol, délayer le sucre et la levure dans l'eau. Mélanger avec soin pour bien dissoudre la levure. Laisser de côté jusqu'à ce que le mélange devienne écumeux, soit 10 minutes environ.

2 Verser la farine dans une grande jatte. Creuser un puits dans la farine et ajouter le ghee et le sel, puis la levure. Travailler à la main jusqu'à l'obtention d'une pâte, en ajoutant de l'eau si besoin.

3 Renverser la pâte sur un plan de travail fariné pétrir 5 minutes environ, afin de bien l'assouplir.

4 Remettre la pâte dans la jatte, couvrir et laisser lever 1 heure 1/2, pour que la pâte ait doublé de volume.

5 Déposer à nouveau la pâte sur le plan de travail et pétrir 2 minutes. La fragmenter en boules et façonner des galettes de 12 cm de diamètre et

de 1 cm d'épaisseur.

6 Poser les galettes sur une feuille de papier d'aluminium huilée et faire cuire de 7 à 10 minutes sous le gril du four très chaud ; retourner les naans à deux reprises, en les badigeonnant de ghee et en les saupoudrant de graines de pavot.

7 Servir les naans aussitôt ou les garder au chaud, enveloppés dans la feuille de cuisson.

Chapatis

Pour 10 à 12 chapatis

INGRÉDIENTS

225 g de farine complète ou
farine ata pour chapatis

1/2 cuil. à café de sel
200 ml d'eau

1 Mélanger la farine et le sel dans une grande terrine.

2 Creuser un puits dans la farine et verser l'eau petit à petit, en mélangeant du bout des doigts pour former une pâte souple.

3 Pétrir la pâte 7 à 10 minutes. Au mieux, laisser lever de 15 à 20 minutes, sinon abaisser la pâte au rouleau juste après le pétrissage. Diviser en 10 à 12 parts. Sur le plan de travail fariné, confectionner des disques en abaissant les portions de pâte au rouleau.

4 Mettre une poêle à fond épais sur feu très vif, puis réduire le feu lorsqu'elle commence à fumer.

5 Déposer un chapati dans la poêle et le retourner dès qu'il commence à boursoufler. Presser délicatement le chapati à l'aide d'une serviette pliée ou d'une large spatule, puis le retourner à nouveau.

Le retirer de la poêle et réserver au chaud.

6 Répéter l'opération pour les autres chapatis.

CONSEIL

Si les chapatis sont bien meilleurs lorsqu'ils sortent de la poêle, il est toutefois possible de les garder au chaud dans une feuille de papier d'aluminium. Les chapatis indiens sont parfois cuits à même la flamme, et sont alors tout gonflés. Comptez deux chapatis par personne.

Galettes dorées

Pour 10 galettes

INGRÉDIENTS

225 g de farine complète ou
de farine ata pour chapatis

1 cuil. à soupe de ghee
(*voir* page 154)

1/2 cuil. à café de sel
300 ml d'eau

1 Dans une grande terrine, mélanger la farine et le sel.

2 Creuser un puits dans la farine, y verser le ghee et l'incorporer en frottant du bout des doigts. Ajouter l'eau petit à petit et travailler afin d'obtenir une pâte souple. Laisser lever de 10 à 15 minutes.

3 Pétrir délicatement la pâte levée de 5 à 7 minutes, puis la diviser en 10 boules.

4 Sur le plan de travail légèrement fariné, abaisser les boules de pâte en forme de galettes plates.

5 Avec le tranchant du couteau, orner chaque galette de croisillons.

6 Faire chauffer une poêle à fond épais et y faire cuire les galettes l'une après l'autre.

7 Cuire la galette 1 minute puis la retourner et l'arroser d'une cuillerée à café de ghee. La retourner de nouveau et la laisser dorer, en lui imprimant des mouvements circulaires avec le dos d'une spatule. La retourner une dernière fois puis la retirer ; réserver au chaud pendant la confection des autres galettes.

CONSEIL

Les Indiens font traditionnellement cuire le pain sur une grille plate, ou tava. Une poêle fera l'affaire, à condition qu'elle soit assez grande.

Pooris

Pour 10 pooris

INGRÉDIENTS

225 g de farine complète, ou de farine ata pour chapatis	1/2 cuil. à café de sel 150 ml d'eau	600 ml d'huile

1 Dans une grande jatte, mélanger farine et sel.

2 Creuser un puits dans la farine. Verser l'eau petit à petit, en travaillant jusqu'à l'obtention d'une pâte ; rajouter un peu d'eau si nécessaire.

3 Pétrir la pâte jusqu'à consistance souple et élastique, puis laisser lever 15 minutes dans un endroit chaud.

4 Diviser la pâte en 10 parts. Façonner de petites boulettes avec les mains huilées ou enfarinées.

5 Sur le plan de travail fariné ou légèrement huilé, abaisser chaque boulette pour obtenir un disque assez mince.

6 Chauffer l'huile dans une sauteuse ; faire frire les pooris par petites quantités, en les retournant une fois.

7 Lorsqu'ils sont bien dorés, retirer les pooris du bain de friture et égoutter. Servir chaud.

CONSEIL

Présenter les pooris empilés les uns sur les autres, ou disposés sur un plateau afin qu'ils gardent leur gonflant.

CONSEIL

Préparez les pooris à l'avance et emballez-les dans du papier aluminium ; passez-les à four chaud 10 minutes avant de servir.

En-cas & garnitures

En Inde, l'heure du thé en fin d'après-midi est
prétexte à un rendez-vous très convivial, surtout en
période de Ramadan chez les musulmans: après
une journée de jeûne, nous servons à nos invités de
petits en-cas, dont vous trouverez les recettes dans ce
chapitre. Présentez-les lors des cocktails ou à l'heure
de l'apéritif, pour remplacer avantageusement
les sempiternelles chips et cacahuètes. Les quantités
sont indiquées pour quatre personnes ; vous avez
toute latitude de les adapter au nombre des convives.

Les garnitures, simple salade de carottes ou raita
à la menthe, par exemple, apportent toujours
de la variété et une plaisante note colorée à
un repas. Ces succulents accompagnements
ne requièrent généralement que fort peu de temps
de préparation. Inutile de proposer chaque mets
en grande quantité : variez plutôt les plaisirs !

Aubergines frites
au yaourt

4 personnes

INGRÉDIENTS

1 yaourt nature 1/2	1 aubergine moyenne	1 cuil. à café de graines
75 ml d'eau	150 ml d'huile	de cumin
1 cuil. à café de sel	6 piments rouges séchés	

1 Verser le yaourt dans une terrine et le battre à la fourchette.

2 Ajouter l'eau et le sel ; mélanger et verser dans une coupe.

3 Détailler l'aubergine en très fines tranches.

4 Chauffer l'huile dans une poêle. Faire cuire les tranches d'aubergine par petites quantités, sur feu modéré ; les retourner de temps en temps, et les retirer lorsqu'elles deviennent croustillantes. Les disposer sur le plat de service et tenir au chaud.

5 Une fois l'aubergine cuite, réduire la flamme et mettre le cumin et les piments dans la poêle ; faire griller 1 minute, en remuant.

6 Verser le yaourt sur les aubergines et parsemer de cumin et de piments grillés. Servir aussitôt.

VARIANTE

Les piments peuvent être épépinés et hachés.

CONSEIL

Riche en protéines et en calcium, le yaourt est important dans la cuisine indienne. Il se prête aux marinades ou délivre d'onctueux parfums dans les sauces et les currys, et sert de garniture rafraîchissante aux mets très relevés.

Maïs piquant

4 personnes

INGRÉDIENTS

200 g de maïs surgelé
ou en conserve
1 cuil. à café de cumin
moulu
1 cuil. à café d'ail pressé

1 cuil. à café de coriandre
moulue
1 cuil. à café de sel
2 piments verts frais
1 oignon moyen, haché

15 g de beurre doux
4 piments rouges, écrasés
1/2 cuil. à soupe de jus de citron
feuilles ciselées de coriandre
fraîche

1 Décongeler ou
égoutter le maïs et
réserver.

2 Écraser le cumin, l'ail,
la coriandre, le sel,
l'oignon et l'un des
piments verts dans
un mortier, ou les passer
au mixeur pour les réduire
en pommade.

3 Faire fondre le beurre
dans une sauteuse.
Ajouter la pommade épicée
et la cuire de 5 à 7 minutes
à feu doux, en remuant
de temps en temps.

4 Incorporer le piment
rouge et mélanger.

5 Mettre le maïs dans
la sauteuse et faire
revenir 2 minutes.

6 Ajouter le second
piment vert, le jus
de citron et la coriandre
fraîche ; mélanger
soigneusement.

7 Déposer le maïs
dans un plat chaud ;
garnir de pluches
de coriandre et servir
sans attendre.

CONSEIL

*Ingrédient essentiel de la
cuisine indienne, les graines
de coriandre s'utilisent soit
entières, soit moulues. Les
graines sont souvent grillées
à sec avant d'accommoder
un mets, car elles exhalent
ainsi tout leur arôme.*

Pakoras

4 personnes

INGRÉDIENTS

6 cuil. à soupe de farine de
    pois chiches
1/2 cuil. à café de sel
1 cuil. à café de poudre
    de piment
1 cuil. à café de levure
    chimique

1 bonne cuil. à café de graines
    de cumin blanc
1 cuil. à café de graines
    de grenade
300 ml d'eau
feuilles de coriandre fraîche,
    ciselées

LÉGUMES AU CHOIX
petits bouquets de chou-fleur,
    rondelles d'oignons,
    tranches de pommes
    de terre et d'aubergines,
    feuilles d'épinards.
huile de friture

1 Tamiser la farine
dans un saladier.

2 Ajouter le sel,
la poudre de piment,
le cumin, la grenade et
mélanger avec soin.

3 Verser l'eau et battre
afin d'obtenir une pâte
onctueuse.

4 Incorporer la
coriandre et réserver.

5 Plonger les légumes
dans la pâte, et les
secouer délicatement afin
qu'ils soient juste enrobés.

6 Chauffer l'huile dans
une poêle à fond épais.
Faire frire les beignets de
légumes en petites quantités,
en les retournant une fois.

7 Répéter l'opération
jusqu'à épuisement
de la pâte à beignets.

8 Égoutter les pakoras
sur du papier
absorbant, puis servir
sans attendre.

CONSEIL

*L'huile de friture doit être
chauffée à point. Si elle
est trop chaude,
la pâte brûlera
avant la cuisson des
légumes ; trop tiède, les
beignets s'imbiberont d'huile
avant que la pâte ne dore.*

Omelette à l'indienne

2 à 4 personnes

INGRÉDIENTS

1 petit oignon, haché menu	feuilles de coriandre fraîche	1 cuil. à café de sel
2 piments verts, finement	ciselées	2 cuil. à soupe d'huile
hachés	4 œufs moyens	

1 Dans une terrine, mélanger l'oignon, le piment et la coriandre du bout des doigts.

2 Battre les œufs dans un saladier.

3 Ajouter la préparation à l'oignon aux œufs et mélanger soigneusement.

4 Saler et battre de nouveau.

5 Chauffer 1 cuillerée à soupe d'huile dans une poêle et verser une louchée d'œufs battus.

6 Faire dorer l'omelette, en la retournant une fois et en la pressant avec une spatule pour en uniformiser la cuisson.

7 Faire les autres omelettes selon le même processus, en les réservant au chaud au fur et à mesure de leur confection.

8 Servir les omelettes sans attendre, accompagnées de paratas (*voir* page 174) ou de pain grillé. Pour un déjeuner léger, servir avec une salade verte bien croquante.

CONSEIL

Les Indiens cuisinent avec des huiles très variées (sésame, moutarde ou coprah) que vous pouvez remplacer par l'huile de tournesol ou d'arachide.

Samosas

Pour 10 à 12 samosas

INGRÉDIENTS

PÂTE
100 g de farine levante
1/2 cuil. à café de sel
40 g de beurre en morceaux
4 cuil. à soupe d'eau

FARCE
1 cuil. à café d'ail

3 pommes de terre moyennes,
  cuites à l'eau
1 cuil. à café de gingembre
  frais haché très fin
1/2 cuil. à café de graines
  de cumin
1/2 cuil. à café de graines
  de moutarde et de nigelle

1 cuil. à café de sel
1/2 cuil. à café de piment
  rouge broyé
2 cuil. à soupe de jus de citron
2 petits piments verts ,
  finement hachés
ghee (*voir* page 154) ou huile
  de friture

1 Tamiser la farine au-dessus d'une jatte. Incorporer le beurre du bout des doigts, pour obtenir une pâte sablée.

2 Mouiller avec l'eau et malaxer avec une fourchette. Faire une boule avec la pâte et pétrir 5 minutes, ou jusqu'à l'obtention d'une pâte lisse. Fariner légèrement si la pâte est trop collante. Couvrir et laisser lever.

3 Pour faire la farce, écraser les pommes de terre à la fourchette et incorporer le gingembre, l'ail, le cumin, les graines mélangées, le sel, le jus de citron et les piments.

4 Diviser la pâte en petites boules, puis les abaisser pour obtenir de fins disques. Couper chaque disque en deux, en humecter les bords et les replier en cônes. Remplir les cônes

d'un peu de farce, en humecter la pointe et les bords puis presser pour les souder. Réserver.

5 Remplir une sauteuse d'huile au tiers de sa hauteur. Chauffer à 180 °C (un croûton de pain doit brunir en 30 secondes). Faire dorer les samosas par petites quantités, puis les égoutter sur du papier absorbant. À déguster chaud ou froid.

Pois chiches au tamarin

2 à 4 personnes

INGRÉDIENTS

400 g de pois chiches au
naturel, égouttés
2 pommes de terre moyennes
1 cuil. à café de poudre
de piment

1 oignon moyen
2 cuil. à soupe de pâte
de tamarin
2 cuil. à café de sucre
1 cuil. à café de sel

GARNITURE
1 tomate, émincée
2 piments verts frais, hachés
pluches de coriandre fraîche

1 Mettre les pois chiches
égouttés dans
une terrine.

2 Détailler les pommes
de terre en dés.

3 Faire bouillir
les pommes de terre
jusqu'à ce qu'elles soient
tendres. Réserver.

4 Émincer l'oignon très
finement et réserver.

5 Dans un bol, délayer
la pâte de tamarin
dans 6 cuil. à soupe d'eau.

6 Ajouter la poudre
de piment, le sucre
et le sel au tamarin
et mélanger. Verser cette
préparation sur les pois
chiches.

7 Ajouter l'oignon émincé
et les pommes de terre,
puis mélanger à la cuillère.
Saler à votre goût.

8 Transférer sur le plat
de service, et garnir
de tomates, de piments
verts et de pluches
de coriandre.

CONSEIL

*Sous son aspect
de noisette, le pois chiche
cache une texture
un peu croquante
et un léger goût de noix.
Réduit en farine
(besan), il sert
à confectionner
toutes sortes de pains
et de pâtes à beignet,
ainsi qu'à épaissir
certaines préparations.*

Beignets moelleux au masala

4 personnes

INGRÉDIENTS

200 g d'urid dhaal en poudre
(haricots à la chair blanche)
1 cuil. à café de levure
chimique
1/2 cuil. à café de gingembre
en poudre

300 ml d'eau
3 yaourts nature
75 g de sucre

MASALA
50 g de coriandre moulue

25 g de piment rouge broyé
50 g de cumin blanc
moulu
100 g d'acide citrique
piments rouges hachés,
pour garnir

1 Mettre la poudre
d'urid dhaal dans
un saladier. Incorporer
la levure et le gingembre
puis mouiller avec l'eau.
Mélanger pour obtenir
une pâte.

2 Chauffer l'huile dans
une sauteuse. Y faire
dorer des beignets de la
taille d'une petite cuillère,
en baissant le feu si l'huile
devient trop chaude.
Réserver les beignets.

3 Verser le yaourt
dans une jatte.
Ajouter le sucre et 400 ml
d'eau, puis battre au fouet
ou à la fourchette.
Réserver.

4 Masala : faire colorer
la coriandre et le
cumin dans une casserole
avant de les broyer
au mixeur ou au mortier.
Ajouter le piment rouge
et l'acide citrique et passer
de nouveau au mixeur.

5 Saupoudrer
une cuil. à café de
masala sur les beignets
et parsemer de piments
hachés. Servir avec
le yaourt.

CONSEIL

*Le masala,
normalement préparé
en grande quantité,
se conserve dans un bocal
hermétiquement fermé.*

Semoule aux épices

4 personnes

INGRÉDIENTS

150 ml d'huile	4 piments rouges séchés	8 cuil. à soupe de semoule
1 cuil. à café de mélange	4 feuilles de curry	à gros grains
de graines de moutarde	(fraîches ou séchées)	1 cuil. à café de sel
et de nigelle	50 g de noix de cajou	150 ml d'eau

1 Chauffer l'huile dans une grande sauteuse à fond épais.

2 Ajouter les graines de moutarde et de nigelle, les piments séchés et les feuilles de curry, faire revenir 1 minute environ, sans cesser de remuer.

3 Sur feu doux, ajouter la semoule et les noix de cajou. Faire revenir 5 minutes en remuant constamment, afin d'éviter que les ingrédients n'attachent ou ne brûlent.

4 Incorporer le sel et poursuivre la cuisson.

5 Mouiller avec l'eau et remuer constamment jusqu'à épaississement du mélange.

6 Servir la semoule aux épices chaude, comme en-cas à l'heure du thé.

CONSEIL

Les quantités indiquées sont prévues pour quatre personnes ; multipliez-les selon le nombre de convives.

CONSEIL

La feuille de curry, que l'on utilise fraîche ou séchée, a le même aspect que la feuille de laurier. Sa saveur, fort différente, relève souvent les lentilles et les currys végétariens.

Aigre-doux de fruits

4 personnes

INGRÉDIENTS

400 g de salade de fruits
400 g de goyaves en boîte
2 grosses bananes
3 pommes

1 cuil. à café de poivre noir
1 cuil. à café de sel
1/2 cuil. à café de gingembre
en poudre

2 cuil. à soupe de jus de citron
feuilles de menthe fraîche

1 Égoutter la salade
de fruits et la verser
dans un saladier.

2 Ajouter les goyaves
avec leur jus
et mélanger.

3 Peler les bananes
et les détailler
en rondelles.

4 Peler et épépiner
les pommes
et les couper en dés.

5 Mélanger les fruits
frais aux goyaves
et au cocktail de fruits.

6 Incorporer le poivre,
le sel, le gingembre
et le jus de citron.

7 Parsemer de feuilles
de menthe et servir.

CONSEIL

*Le jus de citron apporte
à cette recette une note
acidulée et prévient
également le noircissement
de la chair des bananes
et des pommes lorsqu'elle
est exposée à l'air
libre.*

CONSEIL

*Le gingembre est l'une
des épices les plus appréciées
en Inde, depuis des temps
immémoriaux.
Le rhizome de gingembre
doit être épluché avant
d'être haché ou râpé.
Il s'avère souvent utile
de garder du gingembre
en poudre, facile
à conserver.*

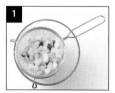

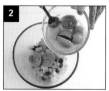

Riz aux raisins

4 personnes

INGRÉDIENTS

50 g de chana dhaal
(pois cassés blonds)
300 ml d'huile
2 cuil. à café de graines
de nigelle

6 feuilles de curry
200 g de parva (flocons de riz)
2 cuil. à soupe de cacahuètes
25 g de raisins secs
75 g de sucre

2 cuil. à café de sel
2 cuil. à café de poudre
de piment
50 g de sev (facultatif)

1 Rincer et faire tremper le chana dhaal pendant au moins 3 heures.

2 Chauffer l'huile dans une casserole et y faire griller les graines de nigelle avec les feuilles de curry, sans cesser de remuer.

3 Ajouter les flocons de riz et les faire dorer (ils doivent croustiller sans brûler).

4 Verser cette préparation sur du papier absorbant et laisser égoutter.

5 Faire griller les cacahuètes dans le reste d'huile, en remuant.

6 Incorporer les cacahuètes aux flocons de riz.

7 Ajouter les raisins, le sucre, le sel et la poudre de piment ; mélanger et compléter avec le sev.

8 Faire dorer les pois cassés égouttés dans l'huile restant dans la sauteuse, puis les incorporer aux autres ingrédients.

9 Servir ou garder dans un récipient hermétiquement fermé.

CONSEIL

Le sev, farine de pois chiches agglutinée en bâtonnets, est vendu dans les épiceries indiennes.

Losanges au cumin

4 personnes

INGRÉDIENTS

150 g de farine	1/2 cuil. à café de sel	100 ml d'eau
1 cuil. à café de levure chimique	1 cuil. à soupe de graines de cumin noir	300 ml d'huile

1 Mettre la farine dans un saladier.

2 Incorporer la levure, le sel et le cumin.

3 Mouiller avec l'eau et travailler pour obtenir une pâte élastique.

4 Abaisser la pâte au rouleau jusqu'à 5 mm d'épaisseur environ.

5 Découper la pâte en petits losanges. Utiliser le reste de pâte après l'avoir de nouveau abaissée.

6 Dans une sauteuse, chauffer l'huile à 180 °C, ou jusqu'à ce qu'un croûton de pain y brunisse en 30 secondes.

7 Déposer délicatement les losanges dans l'huile chaude et les laisser dorer.

8 Les retirer avec une écumoire et les égoutter sur du papier absorbant. Présenter avec un dhaal ou conserver pour un usage ultérieur.

CONSEIL

Le cumin noir est une épice à saveur très prononcée que ne remplace pas le cumin blanc.

Salade chaude

4 personnes

INGRÉDIENTS

1/2 chou-fleur	1/2 concombre	sel et poivre
1 poivron vert	4 carottes	
1 poivron rouge	2 cuil. à soupe de beurre	

1 Rincer le chou-fleur et le détailler en petits bouquets.

2 Émincer les poivrons en fines lanières.

3 Débiter le concombre en rondelles.

4 Éplucher les carottes et les débiter en fines rondelles.

5 Faire fondre le beurre dans une grande casserole, en remuant pour éviter de le brûler.

6 Faire revenir les légumes 5 à 7 minutes. Assaisonner et couvrir, puis laisser mijoter à feu doux 3 minutes environ.

7 Verser les légumes dans un plat et mélanger soigneusement. Servir aussitôt.

VARIANTE

Vous pouvez, si vous le désirez, varier les légumes à votre convenance.

CONSEIL

En Inde, on peut prendre une collation dans la rue tandis que dans d'autres pays, il faut se rendre chez un épicier ou un traiteur indien ou pakistanais. Les plats préparés à la maison sont toutefois plus frais et plus nourrissants.

Salade fraîche

4 personnes

INGRÉDIENTS

1 concombre de 200 g environ	feuilles de coriandre fraîche,	1 cuil. à café de sucre
1 piment vert (facultatif)	ciselées	feuilles de menthe et fines
2 cuil. à soupe de jus de citron	1/2 cuil. à café de sel	lanières de poivron rouge

1 Détailler le concombre en fines rondelles et les disposer sur une assiette plate.

2 Réduire le piment en fin hachis

3 Éparpiller le piment hachés sur le concombre.

4 Pour l'assaisonnement, mélanger la coriandre, le sel et le sucre avec le jus de citron. Réserver.

5 Mettre le concombre au réfrigérateur et le laisser rafraîchir au moins 1 heure.

6 Transférer le concombre dans un saladier.

7 Arroser le concombre avec la sauce et parsemer de feuilles de menthe et de lanières de poivron rouge.

CONSEIL

La coriandre fraîche se garde 4 jours au frais dans un verre d'eau, si elle a toujours ses racines.

CONSEIL

L'ardeur des mets indiens provient des piments verts. Le piment rouge séché est également très usité. Le piment, qui fait transpirer, permet au corps de se rafraîchir : les températures du sud de l'Inde sont rendues plus supportables par une consommation massive de piments. Il en existe de nombreuses variétés ; en règle générale, leur ardeur est inversement proportionnelle à leur taille. Les piments frais se conservent 5 jours au réfrigérateur.

Salade de pois chiches

4 personnes

INGRÉDIENTS

400 g de pois chiches en boîte, égouttés

4 carottes

1 botte d'oignons nouveaux

1 concombre moyen

1/2 cuil. à café de sel

1/2 cuil. à café de poivre

3 cuil. à soupe de jus de citron

1 poivron rouge, émincé en fines lanières

1 Mettre les pois chiches égouttés dans un saladier.

2 Éplucher et couper les carottes en bâtonnets.

3 Tailler les oignons en bâtonnets fins.

4 Détailler le concombre en quartiers épais.

5 Mélanger tous ces ingrédients avec les pois chiches.

6 Saler, poivrer et arroser de jus de citron.

7 Mélanger délicatement la salade.

8 Parsemer la salade de lanières de poivron rouge. Servir sans attendre ou mettre à rafraîchir dans le réfrigérateur.

CONSEIL

L'emploi de pois chiches en conserve est très utile car il permet de gagner du temps.

Raitas

4 personnes

INGRÉDIENTS

RAITA À LA MENTHE
1 yaourt nature 1/2
50 ml d'eau
1 petit oignon, finement
    haché
1/2 cuil. à café de sauce
à la menthe
1/2 cuil. à café de sel
3 feuilles de menthe fraîche

RAITA DE CONCOMBRE
1 concombre de 200 g environ
1 oignon moyen, haché menu
1/2 cuil. à café de sel
1/2 cuil. à café de sauce
    à la menthe
2 yaourts nature
150 ml d'eau
feuilles de menthe fraîche

RAITA D'AUBERGINES
1 aubergine moyenne
1 cuil. à café de sel
1 petit oignon, haché menu
2 piments verts, hachés fin
1 1/2 yaourt nature
3 cuil. à soupe d'eau

1 Pour le raita à la menthe, battre le yaourt à la fourchette en versant l'eau petit à petit. Incorporer le sel, l'oignon et la sauce à la menthe. Décorer avec les feuilles de menthe fraîche.

2 Pour le raita de concombre, éplucher et hacher le concombre. Puis mélanger le concombre, l'oignon, la sauce à la menthe et le sel. Ajouter le yaourt et l'eau, passer le tout au mixeur. Transvaser dans une saucière et parsemer de feuilles de menthe.

3 Pour le raita d'aubergine, rincer et parer l'aubergine. Puis la couper en petits dés. Faire bouillir les dés jusqu'à ce qu'ils soient tendres, les égoutter et les écraser à la fourchette. Déposer l'aubergine dans le plat de service et la mélanger avec le sel, l'oignon et les piments verts. Battre le yaourt et l'eau puis verser cette préparation sur l'aubergine. Mélanger soigneusement et servir.

Chutney à la mangue

4 personnes

INGRÉDIENTS

1 kg de mangues fraîches
4 cuil. à soupe de sel
600 ml d'eau
450 g de sucre
450 ml de vinaigre

2 cuil. à café de gingembre
    frais haché fin
2 cuil. à café d'ail pressé
2 cuil. à café de poudre
    de piment

2 bâtonnets de cannelle
75 g de raisins secs
100 g de dattes dénoyautées

1 Éplucher, fendre et épépiner les mangues. Découper la chair en dés et la mettre dans un saladier. Ajouter le sel et l'eau, puis laisser reposer une nuit. Égoutter et réserver.

2 Dans une grande casserole, à feu doux, faire bouillir le vinaigre et le sucre, en remuant.

3 Petit à petit, ajouter les dés de mangue, et les enrober de vinaigre sucré.

4 Incorporer le gingembre, l'ail, la cannelle, les raisins et les dattes, puis porter de nouveau à ébullition, en remuant de temps en temps. Réduire la flamme à feu doux et cuire 1 heure environ ou jusqu'à ce que le mélange épaississe. Retirer hors du feu et laisser refroidir.

5 Ôter les bâtonnets de cannelle. Transvaser le chutney dans des bocaux propres et secs, fermer hermétiquement. Entreposer dans un endroit frais : les saveurs s'épanouiront.

CONSEIL

Choisissez des mangues à peau brillante et sans taches. Vérifiez leur maturité en les pressant doucement entre les doigts : si la peau n'est pas dure vous saurez alors si elles sont prêtes à être dégustées.

Chutney au sésame

4 personnes

INGRÉDIENTS

8 cuil. à soupe de graines de sésame	1 petit bouquet de coriandre, haché très fin	1 cuil. à café de sel
2 cuil. à soupe d'eau	3 piments verts frais, hachés	2 cuil. à soupe de jus de citron piments rouges, hachés

1 Mettre les graines dans une grande sauteuse à fond épais et les faire griller à sec.

2 Réserver et laisser refroidir.

3 Placer les graines dans un mortier ou dans le bol du mixeur puis les réduire en poudre assez fine.

4 Mouiller avec l'eau et mélanger jusqu'à obtenir une pâte assez souple.

5 Hacher la coriandre très finement.

6 Ajouter les piments verts et la coriandre et mixer à nouveau.

7 Incorporer le sel et le jus de citron puis mixer encore une fois.

8 Transférer le chutney dans un petit saladier et parsemer du hachis de piments rouges.

CONSEIL

Le goût un peu agressif de l'oignon cru s'émousse s'il est rincé à l'eau froide.

CONSEIL

Ravivez les arômes des épices séchées en les grillant à sec : vos mets n'en seront que plus savoureux. Quelques minutes suffisent pour qu'elles développent leur merveilleuse palette de parfums. Remuez constamment le mélange, sans jamais quitter la poêle des yeux : les épices peuvent brûler en un instant.

Chutney au tamarin

4 à 6 personnes

INGRÉDIENTS

2 cuil. à soupe de pâte de tamarin	5 cuil. à soupe d'eau	1 cuil. à soupe de sucre
1 cuil. à café de poudre de piment	1/2 cuil. à café de gingembre moulu	feuilles de coriandre fraîche, ciselées, pour garnir
	1/2 cuil. à café de sel	

1 Mettre le tamarin dans une terrine.

2 Le délayer petit à petit avec l'eau, en remuant à la fourchette pour former une pâte lisse et liquide.

3 Ajouter la poudre de piment et le gingembre, puis mélanger soigneusement.

4 Incorporer le sel et le sucre.

5 Verser le chutney dans un petit saladier et garnir de coriandre ciselée.

CONSEIL

Le piment en poudre ou poivre de Cayenne sont des épices très ardentes, à employer avec précaution.

CONSEIL

Le tamarin, qui apporte souvent sa touche aigrelette aux currys végétariens, provient de la pulpe pressée et à demi séchée du fruit d'un arbre tropical. Vous trouverez des sachets de pulpe séchée dans les épiceries orientales ; elle se conserve à l'abri de l'air. La pâte de tamarin, conditionnée en bocal et plus simple d'emploi, mérite une place dans votre placard.

Desserts

Un repas indien s'achève généralement sur
une note sucrée, tout comme en Occident.
Les desserts indiens sont nourrissants et très sucrés ;
je vous suggère donc d'offrir en même temps
un assortiment de fruits - mangue, goyave,
melon… - que vous aurez au préalable rafraîchis,
surtout au plus chaud de l'été.

Certains desserts (pain perdu à l'indienne, dessert
aux carottes, pudding de fête aux vermicelles)
ne sont confectionnés que pour certaines occasions,
comme les fêtes religieuses. Par ailleurs, ce chapitre
décline toute une gamme de desserts, du plus simple
au plus élaboré. Je vous encourage à les essayer, car
peu de restaurants vous offriront ce type de douceurs
indiennes ; si, pour certains de mes hôtes, ce fut
une révélation, tous en ont retiré un vif plaisir !

Gâteaux aux amandes

6 à 8 personnes

INGRÉDIENTS

3 œufs moyens	200 g de sucre	100 g de beurre
75 g d'amandes moulues	1/2 cuil. à café de stigmates	25 g d'amandes effilées
200 g de lait en poudre	de safran	

1 Battre les œufs en omelette et réserver.

2 Mélanger les amandes moulues, le lait en poudre, le sucre et le safran.

3 Faire fondre le beurre dans une casserole.

4 Mélanger soigneusement le beurre à la poudre d'amandes et de lait.

5 Incorporer les œufs battus.

6 Étaler la pâte ainsi obtenue dans un moule à tarte de 15 à 20 cm de diamètre. Faire cuire 45 minutes dans le four préchauffé à 160 °C. Vérifiez la cuisson à la pointe du couteau : elle ressort sèche lorsque la pâte est cuite.

7 Laisser refroidir et partager le gâteau en parts égales.

8 Parsemer les parts d'amandes effilées puis les dresser sur un plat de service. Elles se dégustent chaudes ou froides.

CONSEIL

Ce gâteau est meilleur au sortir du four mais on peut le préparer jusqu'à une semaine à l'avance et le réchauffer. Il se prête bien à la congélation.

Velouté de patate douce

8 à 10 personnes

INGRÉDIENTS

1 kg de patates douces
850 ml de lait

175 g de sucre
quelques amandes concassées

1 Éplucher et rincer les patates et les débiter en rondelles.

2 Mettre les patates dans une cocotte et les recouvrir avec 600 ml de lait. Faire cuire à feu très doux, jusqu'à ce qu'elles s'écrasent facilement.

3 Hors du feu, réduire en purée sans laisser de grumeaux.

4 Incorporer le sucre et le reste du lait en remuant délicatement.

5 Remettre la cocotte sur feu doux et laisser mijoter jusqu'à ce que la crème commence à épaissir.

6 Verser le velouté dans un plat de service.

7 Décorer avec les amandes concassées et servir tiède.

CONSEIL

La patate douce est de forme plus oblongue que la pomme de terre ; sa peau orangée ou jaunâtre abrite une chair jaune ou blanche. Comme son nom l'indique, sa saveur est légèrement sucrée.

Boulettes au sirop

6 à 8 personnes

INGRÉDIENTS

5 cuil. à soupe de lait entier
en poudre
15 g de farine
1 cuil. à café de levure
chimique
25 g de beurre
1 œuf moyen

un peu de lait, si nécessaire
10 cuil. à soupe de ghee
(*voir* page 154) ou de ghee
végétal (*voir* page 250)

SIROP
750 ml d'eau

90 g de sucre
2 capsules de cardamome
verte, graines concassées
1 grosse pincée de stigmates
de safran
2 cuil. à soupe d'eau de rose

1 Mélanger le lait en poudre, la farine et la levure.

2 Dans une sauteuse, faire fondre le beurre en remuant.

3 Battre l'œuf dans une jatte. Ajouter le beurre fondu et l'œuf battu à la farine et mélanger à la fourchette (si nécessaire, ajouter 1 cuillerée à café de lait) pour obtenir une pâte souple.

4 Diviser la pâte en 12 portions et les rouler au creux de la main.

5 Chauffer le ghee dans une sauteuse. Faire frire les boulettes par trois ou quatre, en les retournant délicatement à l'écumoire, jusqu'à ce qu'elles soient brun doré. Les retirer de la sauteuse et les déposer dans un plat de service.

6 Pour confectionner le sirop, faire bouillir l'eau et le sucre pendant 7 à 10 minutes. Ajouter la cardamome concassée et le safran, puis napper les boulettes.

7 Arroser d'eau de rose et laisser les boulettes s'imprégner de sirop (10 minutes environ). Servir tiède ou froid.

Entremets au riz

8 à 10 personnes

INGRÉDIENTS

75 g de riz basmati	varq (feuille d'argent)
1,2 l de lait	ou pistaches concassées,
140 g de sucre	pour le décor

1 Rincer le riz et le mettre dans une sauteuse. Mouiller avec la moitié du lait et porter à ébullition à feu très doux. Laisser cuire en remuant de temps en temps, jusqu'à ce que le riz ait absorbé tout le liquide.

2 Hors du feu, écraser le riz avec de rapides mouvements circulaires pendant au moins 5 minutes, jusqu'à disparition des grumeaux.

3 Remettre la sauteuse sur feu doux et ajouter peu à peu le reste de lait. Remuer de temps en temps, jusqu'à ébullition.

4 Incorporer le sucre et prolonger la cuisson de 7 à 10 minutes, sans cesser de remuer pour que le mélange atteigne une texture assez épaisse.

5 Verser le riz dans le plat de service. Décorer avec la feuille d'argent ou les pistaches concassées. Cet entremets se déguste nature ou accompagné de pooris (*voir* page 236).

CONSEIL

Le varq est une véritable feuille d'argent, employée pour l'ornement des mets servis pour les grandes occasions. L'argent, réduit en poudre très fine, est compressé entre deux feuilles de papier, que l'on retire très délicatement avant de déposer le varq sur le plat à décorer. On trouve le varq dans les épiceries indiennes ; il est indispensable de le stocker à l'abri de l'air pour éviter son oxydation.

Bouchées aux pistaches

4 à 6 personnes

INGRÉDIENTS

850 ml d'eau
250 g de pistaches
    décortiquées
250 g de lait entier en poudre

450 g de sucre
les graines broyées
    de 2 capsules
    de cardamome

2 cuil. à soupe d'eau de rose
quelques stigmates de safran
feuilles de menthe fraîche,
    pour garnir

1 Faire tremper les pistaches durant 5 minutes dans 600 ml d'eau bouillante. Égoutter et émonder.

2 Broyer les pistaches dans un mortier ou à l'aide d'un mixeur.

3 Ajouter le lait en poudre et mélanger avec soin.

4 Pour confectionner le sirop, chauffer lentement le sucre et le reste de l'eau dans une casserole. Lorsque le liquide commence à épaissir, ajouter la cardamome, l'eau de rose et le safran.

5 Verser le sirop sur les pistaches broyées et cuire 5 minutes environ, en remuant jusqu'à épaississement du mélange. Réserver et laisser tiédir un instant.

6 Lorsque la préparation a suffisamment refroidi, la façonner en boulettes. Décorer avec quelques feuilles de menthe et laisser reposer avant de servir.

CONSEIL

Les pistaches broyées juste avant l'emploi sont bien meilleures que les pistaches moulues que l'on trouve dans le commerce. Elles délivrent ainsi toute la saveur de leurs huiles naturelles.

Pooris fourrés aux pois et aux raisins

Pour 10 pooris

INGRÉDIENTS

POORIS
200 g de semoule à gros grains
100 g de farine
1/2 cuil. à café de sel
1 cuil. à soupe 1/2 de ghee
 (*voir* page 154), un peu
 plus pour la cuisson
150 ml de lait

FARCE
8 cuil. à soupe de chana dhaal
 (pois cassés blonds)
850 ml d'eau
5 cuil. à soupe de ghee
 (*voir* page 154)
les graines de 2 capsules
 de cardamome verte

4 clous de girofle
140 g de sucre
2 cuil. à soupe de poudre
 d'amandes
1/2 cuil. à café de stigmates
 de safran
50 g de raisins de Smyrne

1 Pour faire les pooris, mélanger semoule, sel et farine dans une terrine. Ajouter le ghee et malaxer du bout des doigts. Mouiller avec le lait et travailler afin d'obtenir une pâte. Pétrir 5 minutes, couvrir et laisser lever 3 heures. Pétrir encore 15 minutes sur le plan de travail fariné. Abaisser la pâte et diviser en 8 disques de 12 cm de diamètre.

3 Pour la farce, faire tremper les pois

3 heures. Les mettre dans une casserole avec l'eau et faire bouillir à feu modéré jusqu'à évaporation du liquide. Les pois doivent être assez tendres pour être réduits en une purée lisse.

4 Dans une sauteuse, chauffer le ghee avec la cardamome et les clous de girofle. Réduire le feu, ajouter la purée de pois et remuer 5 à 7 minutes, en raclant bien le fond de la sauteuse.

5 Incorporer le sucre et les amandes et remuer 10 minutes. Ajouter safran et raisins secs, puis remuer jusqu'à épaississement.

6 Déposer 1 cuillerée de farce sur la moitié de chaque disque de pâte. Humecter les bords et les replier l'un sur l'autre.

7 Faire dorer les pooris à feu doux dans le ghee. Égoutter sur du papier absorbant et servir aussitôt.

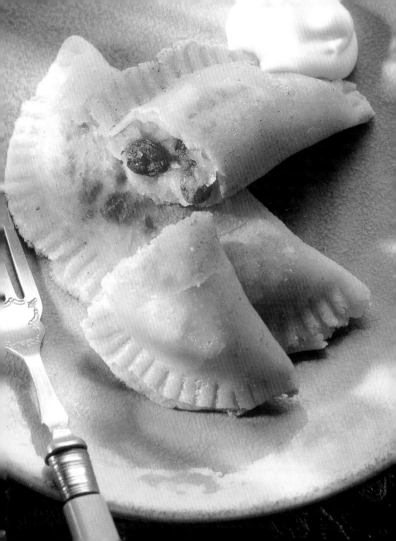

Pain perdu à l'indienne

4 à 6 personnes

INGRÉDIENTS

6 tranches de pain de mie
5 cuil. à soupe de ghee
(*voir* page 154)
180 g de sucre
300 ml d'eau
600 ml de lait

Les graines de 3 capsules
de cardamome verte
175 ml de lait concentré ou
de khoya (*voir* « conseil »)
1/2 cuil. à café de stigmates
de safran

GARNITURE
Amandes hachées
2 feuilles d'argent (varq)
(facultatif)

1 Diviser chaque tranche de pain en 4 triangles.

2 Chauffer le ghee dans une poêle et y faire dorer les tranches de pain sur leurs deux faces, pour les rendre croustillantes.

3 Déposer le pain frit au fond d'un plat à four.

4 Pour la confection du sirop, mettre l'eau, le sucre et la cardamome dans une casserole, amener à ébullition et laisser épaissir.

5 Verser le sirop sur les tranches de pain.

6 Dans une autre casserole, porter le lait, le lait concentré (khoya) et le safran à ébullition. Cuire à feu très doux jusqu'à ce que le liquide ait diminué de moitié.

7 Verser le lait sur les tranches de pain.

8 Parsemer d'amandes hachées et d'une feuille d'argent.

Servir le pain perdu nature, ou avec de la crème.

CONSEIL

Pour confectionner vous-même le khoya, faire bouillir 1 l de lait dans une grande casserole, sans le faire brûler. Réduire la flamme et laisser frémir de 35 à 40 minutes, en remuant de temps en temps. Le lait doit réduire des trois quarts de son volume et ressembler à une sauce très collante.

Crème aux amandes

2 personnes

INGRÉDIENTS

225 g d'amandes entières	300 ml de lait
2 cuil. à soupe de sucre	300 ml d'eau

1 Faire tremper les amandes au moins 3 heures, ou de préférence toute une nuit, dans un bol d'eau froide.

2 Hacher grossièrement les amandes. Passer le hachis au mixeur ou le piler dans un mortier, afin de le réduire en pâte.

3 Ajouter le sucre et mixer de nouveau.

4 Mouiller avec l'eau et le lait, puis homogénéiser cette préparation dans le mixeur.

5 Verser la crème dans un grand plat de service.

6 Rafraîchir la crème aux amandes 30 minutes dans le réfrigérateur. Remuer juste avant de servir.

CONSEIL

En Inde, ce genre de crème glacée se sert lors d'événements particuliers, comme les fêtes religieuses. La vaisselle la plus fine est alors de mise, ainsi que le vark, parure comestible en feuille d'or ou d'argent.

CONSEIL

Gagnez du temps en broyant les amandes dans un moulin électrique. Si vous utilisez un moulin à café, nettoyez-le soigneusement après usage, sinon votre café sera étrangement aromatisé ! Le broyage au mortier et au pilon est beaucoup plus astreignant, surtout pour de grosses quantités.

Douceurs à la noix de coco

4 à 6 personnes

INGRÉDIENTS

75 g de beurre	200 g de noix de coco	quelques gouttes de colorant
175 ml de lait condensé	déshydratée (râpée)	alimentaire rose (facultatif)

1 Faire fondre le beurre à feu doux dans une sauteuse à fond épais, en remuant pour ne pas le brûler.

2 Ajouter la noix de coco et mélanger.

3 Verser le lait condensé et le colorant. Cuire en remuant 7 à 10 minutes.

4 Retirer du feu, réserver et laisser un peu tiédir.

5 Lorsque la préparation est suffisamment tiédie, la façonner en blocs allongés et la découper en rectangles. Laisser reposer 1 heure avant de servir.

VARIANTE

Si vous le préférez, lors de l'étape 2, vous pouvez diviser le mélange de noix de coco en deux et n'en colorer qu'une partie. Vous obtiendrez ainsi un assortiment bicolore très appétissant.

CONSEIL

La noix de coco est importante dans la cuisine indienne : elle apporte saveur et onctuosité à bon nombre de plats. La noix de coco prête à l'emploi préconisée dans cette recette, moins savoureuse que la noix râpée fraîche, devrait cependant se trouver dans tous les placards. La noix de coco fraîche se conserve très bien au congélateur, préparez-la d'avance.

Entremets à la semoule

4 personnes

INGRÉDIENTS

6 cuil. à soupe de ghee
(*voir* page 154)
3 clous de girofle
3 capsules de cardamome
entières
1/2 cuil. à café de safran

8 cuil. à soupe de semoule
à gros grains
50 g de raisins de Smyrne
180 g de sucre
300 ml d'eau
300 ml de crème fraîche

25 g de noix de coco
déshydratée, grillée
25 g d'amandes concassées
25 g de pistaches, ramollies
dans l'eau puis hachées
(facultatif)

1 Dans une casserole, faire fondre le ghee à feu moyen.

2 Ajouter les cardamomes et les clous de girofle. Réduire à feu doux et mélanger.

3 Verser la semoule dans cette préparation et la faire revenir jusqu'à ce qu'elle colore légèrement.

4 Ajouter le safran, les raisins et le sucre, et mélanger soigneusement.

5 Mouiller avec l'eau et le lait, et cuire jusqu'à consistance moelleuse, en remuant constamment. Ajouter un peu d'eau si nécessaire.

6 Verser la semoule dans le plat de service.

7 Décorer le dessert en le parsemant de noix de coco râpée, d'amandes et de pistaches concassées. Arroser d'un filet de crème fraîche juste avant de servir.

CONSEIL

La saveur et l'arôme du clou de girofle relèvent tous les plats ; il faut toutefois l'employer avec modération.

Dessert aux carottes

4 à 6 personnes

INGRÉDIENTS

1,5 kg de carottes
10 cuil. à soupe de ghee
(*voir* page 154)
175 ml de lait concentré ou
de khoya (voir page 238)

600 ml de lait
10 graines de cardamome,
broyées
8 à 10 cuil. à soupe
de sucre

POUR GARNIR
25 g de pistaches, concassées
2 feuilles d'argent (varq)
(facultatif)

1 Laver, éplucher et râper les carottes.

2 Chauffer le ghee dans une grande sauteuse à fond épais.

3 Faire revenir les carottes 15 à 20 minutes, le temps nécessaire à l'évaporation du jus de cuisson.

4 Ajouter le lait, le lait concentré, la cardamome et le sucre et laisser mijoter de 30 à 35 minutes, jusqu'à coloration brun rouge de la préparation.

5 Verser le dessert dans un plat creux.

6 Décorer avec les pistaches et les feuilles d'argent et servir aussitôt.

CONSEIL

Gagnez du temps en râpant les carottes avec un robot de cuisine.

CONSEIL

Je préfère utiliser le ghee pour la confection de ce dessert particulier. Si cependant vous souhaitez limiter l'apport lipidique, employez du ghee végétal (voir page 250).

Riz aux trois parfums

4 personnes

INGRÉDIENTS

200 g de riz basmati
200 g de sucre
1 pincée de stigmates
de safran
300 ml d'eau

2 cuil. à soupe de ghee
(*voir* page 154)
3 clous de girofle
3 capsules de cardamome
250 g de raisins de Smyrne

POUR GARNIR
quelques pistaches (facultatif)
feuilles d'argent (varq)
(facultatif)

1 Rincer le riz deux fois, le mettre dans une casserole d'eau et porter à ébullition, en remuant sans cesse. Retirer du feu à mi-cuisson, égoutter et réserver.

2 Dans une autre casserole, faire bouillir l'eau avec le sucre et le safran et remuer pour épaissir le sirop. Réserver.

3 Dans une petite casserole, chauffer le ghee avec les clous de girofle et la cardamome, en remuant de temps en temps. Réserver.

4 Remettre le riz sur feu doux et ajouter les raisins secs. Mélanger.

5 Verser le sirop sur le riz et mélanger.

6 Ajouter le ghee et laisser mijoter de 10 à 15 minutes à feu doux. Vérifier la cuisson du riz et ajouter un peu d'eau si nécessaire. Dans ce cas, couvrir et laisser cuire à petits bouillons.

7 Servir tiède, orné de pistaches, de varq et d'un peu de crème fraîche.

VARIANTE

Pour relever un peu l'arôme du safran, déposez les stigmates sur une feuille de papier sulfurisé et passez quelques instants sous le gril du four, sans les faire brûler. Émiettez-les du bout des doigts avant de les ajouter à l'eau sucrée (étape 2).

Velouté d'amandes
au ghee

2 à 4 personnes

INGRÉDIENTS

2 cuil. à soupe de ghee
(voir page 154) ou de ghee
végétal

25 g de farine
100 g d'amandes moulues
300 ml de lait

50 g de sucre
menthe fraîche, pour garnir

1 Faire fondre le ghee
à feu modéré dans
une casserole à fond épais.
Remuer constamment,
pour ne pas le brûler.

2 Réduire à feu doux,
verser la farine et
remuer vigoureusement
pour éliminer tous
les grumeaux.

3 Ajouter les amandes,
sans cesser de remuer.

4 Incorporer peu à peu
le lait et le sucre, puis
amener à ébullition.
Prolonger la cuisson
de 3 à 5 minutes, jusqu'à
obtenir une crème
veloutée.

5 Verser dans le plat
de service, et déguster
sans attendre.

VARIANTE

*Vous réaliserez un velouté
tout aussi délicieux avec
du lait de coco.*

CONSEIL

*Il existe deux variétés de
ghee, commercialisées dans
les épiceries asiatiques. Le
véritable ghee, préparé à
partir de beurre, ne convient
pas à un régime végétalien.
Vous trouverez du ghee
végétal chez
un épicier indien.*

Pudding de vermicelle

4 à 6 personnes

INGRÉDIENTS

25 g de pistaches décortiquées
    (facultatif)
250 g d'amandes effilées
850 ml de lait

3 cuil. à soupe de ghee
    (*voir page 154*)
100 g de seviyan (vermicelles
    indiens)

175 ml de lait concentré
140 g de sucre
6 dattes séchées, dénoyautées

1 Faire tremper les pistaches dans un bol d'eau pendant au moins 3 heures. Les émonder et les mélanger aux amandes effilées. Hacher finement et réserver.

2 Faire fondre le ghee dans une sauteuse et y faire légèrement frire les vermicelles. Retirer immédiatement du feu (le seviyan dore très rapidement, veiller à ne pas le faire brûler).

3 Remettre sur feu doux et verser le lait sur les vermicelles puis porter doucement à ébullition, en veillant pour éviter un éventuel débordement.

4 Ajouter le lait concentré, le sucre et les dattes. Laisser mijoter 10 minutes à découvert, en remuant de temps en temps. Lorsque le mélange commence à épaissir, transférer le pudding dans le plat de service.

5 Parsemer le pudding avec les amandes et les pistaches.

CONSEIL

Vous trouverez du seviyan chez un épicier indien. Ce dessert se déguste tiède ou froid.

Délices aux amandes

4 à 6 personnes

INGRÉDIENTS

75 g de beurre	200 g de sucre	8 amandes concassées
200 g d'amandes en poudre	10 pistaches décortiquées	
150 ml de crème allégée	et concassées	

1 Faire fondre le beurre dans une sauteuse qui n'attache pas.

2 Ajouter peu à peu les amandes en poudre, la crème et le sucre, sans cesser de remuer. Réduire à feu doux et remuer encore de 10 à 12 minutes, en raclant le fond de la sauteuse.

3 Augmenter la flamme et laisser le mélange colorer légèrement.

4 Transférer la préparation dans un plat peu peu profond et lisser le dessus avec le dos d'une cuillère.

5 Parsemer d'amandes et de pistaches concassées.

6 Laisser le dessert reposer 1 heure environ, puis découper en losanges. Les délices se dégustent froids.

CONSEIL

Préparez ce dessert à l'avance et conservez-le plusieurs jours au réfrigérateur, dans une boîte hermétique.

CONSEIL

Vous pouvez variez les motifs en utilisant des emporte-pièce de pâtissier.

Liste des recettes